LE
MARKETING
INTELLIGENT

Catalogage avant publication de la Bibliothèque nationale du Canada

Aoun, Joseph

Le marketing intelligent : les secrets pour réaliser des profits et augmenter les ventes

(Collection Affaires)

ISBN : 2-7640-0856-2

1. Marketing. 2. Ventes - Promotion. 3. Profit. I. Titre. II. Collection : Collection Affaires (Éditions Quebecor).

HF5415.A68 2004   658.8   C2004-940438-5

LES ÉDITIONS QUEBECOR
7, chemin Bates
Outremont (Québec)
H2V 4V7
Tél. : (514) 270-1746
www.quebecoreditions.com

© 2004, Les Éditions Quebecor
Bibliothèque nationale du Québec
Bibliothèque nationale du Canada

Éditeur : Jacques Simard
Coordonnateur de la production : Daniel Jasmin
Conception de la couverture : Bernard Langlois
Illustration de la couverture : Greg Hargreaves/PhotoDisc
Révision : Hélène Bard
Correction d'épreuves : François Therrien
Infographie : Composition Monika, Québec

Nous reconnaissons l'aide financière du gouvernement du Canada par l'entremise du Programme d'Aide au Développement de l'Industrie de l'Édition pour nos activités d'édition.

Gouvernement du Québec – Programme de crédit d'impôt pour l'édition de livres – Gestion SODEC.

Imprimé au Canada

JOSEPH
AOUN

LE
MARKETING
INTELLIGENT

LES ÉDITIONS
Quebecor
QUEBECOR MEDIA

Le succès est toujours fait à base d'idées, d'imagination et de discernement.

Si des gens ne faisaient pas parfois des choses différentes, rien d'intelligent ne serait jamais fait.

AVANT-PROPOS

Découvrez l'approche, les méthodes, les outils, les stratégies et les techniques qui vous aideront à réussir là où d'autres échouent. Ceux-ci vous seront surtout d'un grand secours durant les périodes économiques difficiles. Ils vous apporteront des résultats concrets et la sécurité.

Le marketing intelligent vous aidera à exploiter votre potentiel en marketing et dans le domaine des ventes. Il vise à vous montrer comment chacun peut utiliser le marketing au maximum de ses capacités, générant ainsi le maximum de profits avec un minimum d'investissements. Cet ouvrage vous permettra de développer vos compétences dans ces domaines, pour réaliser des profits intéressants et rapides, aux moindres coûts possibles. Il vous montrera non seulement comment augmenter vos ventes, mais aussi vos profits, comment vous faire connaître à moindre coût, comment épargner de l'argent en marketing, comment faire grand avec petit et surtout, quels clients ne pas cibler. Des outils puissants vous aideront à sélectionner des méthodes de marketing et à développer des compétences de première classe dans ce domaine.

Ce livre ne vous expose pas simplement des méthodes à appliquer. Il vous en montre l'application. Au lieu de compter sur l'argent, vous compterez désormais sur le pouvoir cérébral.

Ce livre n'est pas dû à un simple *hasard*. Il est né de ma passion du marketing qui dure depuis plus de 20 ans et qui s'est transformée au fil des années en passion pour le marketing intelligent.

Le marketing intelligent s'adresse à tous les adeptes du marketing, qu'ils soient petits ou grands. Toutefois, il doit être le livre de chevet des entrepreneurs, des dirigeants des petites et moyennes entreprises et surtout des personnes qui souhaitent lancer une entreprise. Ce livre peut vous éviter de faire bien des erreurs et surtout, vous faire économiser beaucoup d'argent.

※

Si vous avez des commentaires, des idées ou des mises en application positives, veuillez me les faire parvenir par courriel à l'adresse suivante : global21@sprint.ca

AVERTISSEMENT

Le marketing est l'oxygène de votre entreprise. Son pouvoir est indéniable.

Peu importe la taille de votre organisation, vos réalisations ou votre succès aujourd'hui, actuellement, l'imagination, l'ingéniosité et l'intelligence en marketing sont essentielles à la survie de votre entreprise.

Tout type d'entreprise, sans exception, exige le marketing, sans lequel il ne peut y avoir de réussite. C'est l'aspect le plus important de l'entreprise. Car si une bonne organisation est primordiale, à quoi sert-il de l'avoir en place sans qu'elle génère des revenus suffisants permettant à l'entreprise de survivre? Un marketing fragile met en péril l'avenir d'une entreprise. Il contribue à son effritement. Le meilleur moyen de réduire ce risque est d'apprendre à maîtriser toutes les ficelles du marketing, mais surtout d'appliquer en tout temps un marketing intelligent. Nous pouvons compromettre notre succès à cause de la façon dont nous effectuons notre marketing. Apprenez comment adopter une approche distinctive!

Le marketing intelligent vise des objectifs précis. Il ne se substitue pas au marketing ordinaire, il le peaufine et le complète pour en faire un chef-d'œuvre.

Les méthodes et les principes du marketing intelligent proposés ici sont novateurs et universellement utiles.

Les exemples du livre mettent en valeur des moyens applicables tous les jours dans une entreprise.

Ce livre s'adresse à toute personne ou entreprise, quel que soit le produit ou le service offert, qui souhaite entreprendre un marketing distinctif et innovateur. Les novices y découvriront non seulement les ingrédients nécessaires à la réussite, mais également une méthode de travail indispensable pour conquérir un marché. *Ceux qui savent* y trouveront des idées pour poursuivre leur apprentissage dans ce domaine inépuisable.

Un fait est sûr : le consommateur du nouveau millénaire est plus éduqué, plus informé, plus exigeant, plus infidèle, plus fureteur, plus varié sur le plan ethnique et culturel, plus raffiné, plus... Il nous faut donc un marketing intelligent.

TABLE DES MATIÈRES

QU'EST-CE QUE LE MARKETING INTELLIGENT ?

Lorsque j'étais enfant, j'entendais souvent ma mère dire à mon père qu'il fallait qu'il accepte toutes les invitations qu'il recevait afin que les gens le voient et se souviennent de lui. Elle insistait sur l'importance de la visibilité. Internet n'existait pas, mais je pense que ma mère répéterait aujourd'hui les mêmes paroles à mon père, même si elle était une adepte de l'informatique. Parce qu'Internet ne fournit qu'une partie de la visibilité nécessaire pour remplir le mandat énorme du marketing d'aujourd'hui.

Il n'y a plus un produit unique en son genre dans le monde. Les vieux jours sont révolus. Des milliers de produits et services se disputent les marchés du monde. Internet est inondé de millions de pages. Les boîtes de courriels sont remplies de sollicitations commerciales. Les bannières qui furent efficaces il y a quelques années sont à présent ignorées par des surfeurs pressés. Malgré cela, pouvons-nous nous permettre d'être en dehors de la scène du commerce électronique ? La réponse est certainement non. En fait, le marketing intelligent apprécie énormément la technologie. Pourtant, il en fait usage avec discernement.

Le marketing intelligent n'exige pas des budgets élevés ni de longues périodes de temps. Il saisit les possibilités qui se présentent à vous, celles où vous pouvez être visible aux plus bas coûts. Mieux encore, il déploie des tactiques très précises qui ne font appel à aucune ressource financière, mais uniquement cérébrale. Il utilise des approches, des idées, des outils, des stratégies et des techniques variés, simples, fignolés et scrutés, dont le pouvoir est simplement inimaginable. De telles initiatives mettent en lumière vos produits et services. Elles instaurent la confiance qui est nécessaire pour grandir ou, du moins, perdurer sur le marché.

L'objectif principal doit être la visibilité de vos produits et services. Cela devrait vous aider à atteindre les résultats visés. Et tout outil vous permettant de le faire sans frais devra être sérieusement considéré. Après tout, ma mère avait bien raison! Les gens ont besoin de vous voir ici et là, encore et encore. Et comme mon père le disait: «Si vous êtes visible, votre vie ne sera jamais pareille!» Il m'a appris aussi que le marketing intelligent inclut aussi de tenir ses promesses, de répondre aux messages et surtout, de bien traiter les gens. Il me disait toujours: «Peu importe ta montée dans les affaires et dans la vie, ta façon de traiter les gens influera sur le cours de ta vie.»

Les quatre mots clés dont il faut se souvenir

Visibilité, *fiabilité*, *respect* et *régularité* sont les quatre mots clés dont il faut se souvenir. Parce qu'en réalité, le bon marketing, c'est tout cela en même temps. L'un ne va pas sans l'autre. Si vous êtes visible de façon irrégulière, vous ne pourrez tirer le meilleur profit de votre marketing. Vous le déstabiliserez. Si vous êtes visible de façon régulière, mais que vous êtes incapable de répondre aux demandes de vos clients, ou si vous répondez aux requêtes de vos clients avec peu de respect, vous gâcherez les bienfaits de votre visibilité régulière. Enfin, si vous êtes fiable et respectueux des autres, mais que votre visibilité demeure opportuniste, une bonne partie de ceux qui vous connaissent risquent de vous oublier et ceux qui ne vous connaissent pas de ne jamais vous connaître, réduisant ainsi votre part du marché.

La différence entre le marketing et la vente

On a souvent tendance à mélanger le marketing et la vente. C'est que, pour vendre, il faut du marketing, et le marketing vise la vente. En fait, on ne peut réussir dans la vente sans une stratégie de marketing et l'on ne peut prétendre réussir une stratégie de marketing si celle-ci n'entraîne pas des ventes.

Pour simplifier les choses, le marketing se définit comme un *ensemble d'outils, de méthodes et de techniques en vue de vendre un produit ou un service*. Faire du marketing, ce n'est pas faire de la vente. C'est préparer sa vente pour qu'elle soit la plus réussie possible. La vente, quant à elle, se définit comme étant *l'action de vendre, le fait d'échanger une marchandise ou un service contre son prix*. Vendre, ce n'est pas faire du marketing. Lorsqu'on vend, le marketing a déjà été effectué. C'est grâce à lui que la vente a pu être effectuée.

La vraie définition du marketing

Le marketing, c'est les activités que vous planifiez et déployez et qui mènent votre produit ou service de chez vous à votre client. Cela implique qu'il faut rechercher de nouveaux marchés, analyser votre potentiel, mettre en place des buts et des objectifs, et ensuite utiliser la communication persuasive (qui pourrait inclure la publicité et les relations publiques), pour vendre votre produit ou service.

La mission du marketing est assez vaste. Elle va de la préparation d'un plan de commercialisation et d'une étude de marché à la création et à la réalisation de moyens et d'outils promotionnels incluant la création d'images, les médias, les relations publiques, en passant par la mise en œuvre d'idées créatrices. En un mot, le marketing, c'est tout ce que vous faites pour préparer la promotion d'un produit ou service, ainsi que la mise en application de cette préparation.

Le plus souvent, ce qui détermine la réussite ou l'échec d'un produit ou d'un service, c'est la façon de le commercialiser. Le meilleur produit, s'il est peu ou mal commercialisé, peut s'avérer un échec. Un produit de moindre qualité, bien commercialisé, peut connaître une réussite fulgurante. D'ailleurs, c'est ce qui arrive le plus souvent. On s'étonne à plusieurs occasions de voir sur le marché des produits ou des services qui ne sont pas d'excellente qualité et qui, pourtant, connaissent un grand succès tout simplement parce qu'ils jouissent d'un marketing puissant.

Le marketing ne doit pas non plus être confondu avec la publicité. Le marketing, ce n'est pas simplement faire de la publicité ou entreprendre des relations publiques. La publicité ne doit pas être confondue avec la promotion. Vous pouvez ne pas avoir besoin de publicité dans le vrai sens du terme, mais vous ne pouvez vous dispenser de faire du marketing, pas plus que de faire de la promotion. La publicité, dans le vrai sens du terme, n'est qu'un outil de promotion parmi tant d'autres. C'est un des aspects dont le marketing intelligent tient compte.

L'approche du marketing intelligent

Des milliers de produits et de services inondent le marché. Comment se démarquer? Des concurrents surgissent du jour au lendemain et changent toutes les données. Comment y faire face? Des crises économiques surviennent. Comment les traverser? Des événements incontrôlables ont soudain lieu. Comment les affronter? Des produits et services fortement appréciés des consommateurs sont tout d'un coup rejetés. Comment survivre? Notre société vit des changements de plus en plus profonds et de plus en plus rapides. Les champions du marketing semblent avoir compris que l'heure n'est plus au marketing ordinaire, mais à celle d'un marketing intelligent qui permet de surmonter ces difficultés et d'augmenter la performance.

Peu importe ce que vous vendez, vous ne pouvez vous permettre *les risques d'un marketing ordinaire*. Une approche distinctive s'impose, qui privilégie des moyens aussi efficaces que ceux déployés habituellement, mais bien moins coûteux. C'est le seul moyen d'assurer la pérennité de votre entreprise.

Les tactiques du marketing intelligent ne bannissent pas le marketing ordinaire. Elles vous fournissent une solution aux dépenses coûteuses du marketing courant. Elles vous aident à augmenter vos ventes tout en minimisant vos coûts, vous laissant ainsi d'intéressantes marges de profit. En fait, l'approche du marketing intelligent vise la réalisation de profits par le plus court chemin et le moins onéreux.

Alors que le marketing ordinaire vous fournit la façon courante d'entreprendre votre marketing, le marketing intelligent vous fournit des pistes privilégiées. Le premier est davantage d'ordre mécanique, alors que le second est plutôt cérébral. Le pouvoir de l'esprit remplace ainsi le pouvoir de l'argent. Au lieu d'avoir à dépendre de ce dernier, vous aurez la possibilité de miser sur la puissance du cerveau pour faire face à une concurrence de plus en plus forte.

L'approche du marketing intelligent est utile à tous les intervenants sur les marchés, peu importe leur envergure. Mais pour les entrepreneurs, les nouvelles entreprises, les PME et les travailleurs autonomes, il s'agit d'une nécessité absolue.

Beaucoup d'entreprises se contentent tout simplement de vendre. Elles adoptent une approche classique. Elles n'ont pas exploré toutes les méthodes de marketing. Les outils de promotion sont nombreux. Ils incluent les annonces classées, le bouche à oreille, les brochures, les cadeaux promotionnels et publicitaires, les circulaires, les communiqués de presse, les démonstrations, les échantillons, les enseignes, les foires commerciales, les lettres personnalisées, le publipostage, le parrainage d'événements, les publicités dans les journaux, dans les pages jaunes, à la radio, dans les revues et à la télévision, les relations publiques, les séminaires, les tableaux d'affichage, le télémarketing, les t-shirts, et bien d'autres. Le marketing intelligent exige que vous scrutiez à la loupe toutes ces méthodes et, bien plus, chacune d'elles séparément, pour ensuite utiliser la combinaison qui convient le mieux à votre entreprise.

Le marketing intelligent n'est pas quantitatif. Il est tactique. Il adopte une approche qui se focalise avant tout sur une idée de base dont il fait une idée centrale autour de laquelle tout votre marketing tourne et se développe : votre brochure, votre carte professionnelle, votre publipostage, votre marketing par téléphone, votre papier à en-tête, votre publicité, tout ! Il ne suffit pas d'avoir une meilleure idée, il faut avoir un meilleur argument et une stratégie dirigée. L'idée doit surtout être soutenue par un argument incontestable et une stratégie bien ciblée. Il s'agira donc davantage d'avoir un argument et une stratégie solides qu'une brillante idée ! Plus important encore, c'est le fait que celle-ci puisse s'exprimer en quelques mots forts.

Votre concept doit s'exprimer en quelques lignes

Voici un exemple. Lorsque j'ai fondé mon institut de gestion et de langues, je voulais offrir des cours en comptabilité et en informatique aux débutants. Je savais que la plupart des gens souffraient de la phobie des chiffres et encore plus de la phobie technologique. J'ai donc basé ma méthode sur une approche simplifiée de l'enseignement. Tout mon marketing tournait autour de ce concept. Le succès fut rapide et phénoménal.

La publicité pour mes cours en comptabilité manuelle et informatisée se devait d'être avant tout rassurante. Elle était centrée sur la méthode simplifiée et rapide. Elle clarifiait notre mission sans ambiguïté. Elle se réduisait à quelques lignes dans deux des journaux locaux les plus vendus. Voici ce qu'elle disait : « Apprenez la tenue de livres et la comptabilité générale manuelles ou informatisées, en 5 semaines. Méthode simplifiée et pratique. Leçon d'introduction gratuite.» Cette annonce d'une vingtaine de mots clarifiait les objectifs de mon entreprise. Elle les clarifiait aussi pour mon équipe (personnel administratif et professeurs), ainsi que pour les clients potentiels. Le nom de mon entreprise se résumait à trois lettres. La réussite fut immédiate. La clarté et la simplicité conduisent au succès. Réduisez et réduisez encore votre pensée au minimum. Clarifier le message est un gage de succès dans tout marketing. Centrez tout votre marketing sur un concept central. Il s'agit d'une condition préalable au succès.

Élément clé

Formulez votre message clairement. Tout doit être rattaché au message clé. Il s'agira de l'élément clé du marketing intelligent. Évitez de surcharger ou de trop élaborer votre message. En voulant trop en mettre, vous risquez de le vider de son essence.

L'approche fondamentale consiste à fournir de l'intelligence aux techniques du marketing conventionnel (la promotion, la publicité, les relations publiques). Il s'agit d'y appliquer une façon innovatrice de faire et de déployer des techniques de marketing distinctives. Ainsi, vous pourrez combiner les stratégies conventionnelles à des stratégies distinctives afin de tirer le maximum de vos efforts de commercialisation.

Le plan de marketing intelligent

Un plan de marketing intelligent vise principalement à définir ce qui peut-être fait différemment dans l'avenir. Il est révisé annuellement et tient compte du fait que des changements soudains peuvent nécessiter des ajouts qu'il faudra incorporer trimestriellement ou au milieu d'une année.

Les 3 questions qui font un plan de marketing intelligent

Il existe trois questions qui permettent de préparer un plan de marketing intelligent. Les voici :

1. Où en êtes-vous actuellement relativement à:
   - Vos produits ou services?
   - Vos prix?
   - Vos ressources (vos forces et vos faiblesses, ce qui doit être renforcé)?
   - Qui sont vos clients?
   - Qui sont vos concurrents?
   - En quoi votre entreprise, vos produits ou services sont-ils différents?
   - Quels problèmes émergent?
   - Quelles possibilités voyez-vous se pointer à l'horizon?
   - Quelles sont les tendances dans votre secteur d'activité?
2. Où voulez-vous être?
   - À court terme?
   - À moyen terme?
   - À long terme?
3. Comment y parvenir?

Les 5 situations

Le marketing intelligent, c'est aussi celui qui saura gérer les cinq situations typiques suivantes:

1. **Pas de demande:** le marketing intelligent devra provoquer et stimuler la demande;

   le marketing intelligent crée une clientèle.
2. **Demande latente:** le marketing intelligent développera la demande.
3. **Demande soutenue:** le marketing intelligent entretiendra la demande.

4. **Demande excessive :** le marketing intelligent maintiendra son marketing.

La plupart des entreprises négligent leur marketing lorsqu'elles deviennent autosuffisantes. C'est à ce moment qu'elles s'exposent au risque de l'effritement. C'est ce qui s'est passé dans beaucoup d'entreprises qui avaient du succès. Alors qu'elles dormaient sur leurs lauriers et réduisaient leur marketing, leurs concurrents, eux, maintenaient la cadence et même, souvent, en profitaient pour l'augmenter.

5. **Demande indésirable :** le marketing intelligent repoussera la demande.

S'adapter en vue de devenir plus efficace que la concurrence

Une des caractéristiques du marketing intelligent, c'est de s'adapter à toutes les situations prévisibles et soudaines en vue de devenir plus efficace que la concurrence.

Le marketing intelligent au service de la rentabilité

L'approche du marketing intelligent vise à se servir du marketing pour améliorer la rentabilité d'une entreprise, qui est parfois négligée au détriment des ventes. Ce livre propose une approche originale et simple d'y arriver, que ce soit par le choix de marchés plus rentables, l'identification des actions ou des politiques permettant de réussir efficacement sur ces marchés ou encore l'emploi de méthodes assurant le renforcement de la différence.

Le marketing intelligent vise davantage le profit que les ventes

Beaucoup de gens n'ont qu'une idée : vendre. Le marketing ordinaire préconise la réalisation d'objectifs de vente les plus élevés possibles. Il fournit les objectifs et les méthodes de marketing en vue de les atteindre. Le marketing intelligent valorise le profit au moindre coût. Il fournit les stratégies et les techniques nécessaires pour y parvenir.

L'impératif d'un marketing intelligent

Un produit ou un service de piètre qualité n'a pas longue vie. Le marketing le plus intelligent et le plus sophistiqué ne saura motiver un client à acheter plus d'une fois un tel produit ou service. La qualité est donc l'ingrédient de base. C'est seulement lorsque nous sommes prêts à fournir la qualité dans ce que nous offrons que nous pouvons appliquer le marketing intelligent. La qualité requiert du temps. Il faut donc s'organiser financièrement en conséquence, et en fonction des objectifs visés. Une fois que nous avons en main un produit ou un service de qualité, le marketing intelligent devient plus facile à appliquer et à réussir.

Un tout : du bouche à oreille à la tenue vestimentaire

Mais le marketing intelligent va encore plus loin et privilégie des actions bien ciblées. En fait, le marketing intelligent va du bouche à oreille à la tenue vestimentaire, en passant par le réseautage d'affaires. C'est ce que nous allons voir dans les pages qui suivent. Et, puisque tout est dans la façon de faire, la façon d'appliquer les outils du marketing intelligent détermine elle aussi le succès ou l'échec commercial de tel produit ou service. C'est aussi ce que ce livre mettra en lumière.

En un mot...

En un mot, le marketing intelligent est une affaire de détails ! En fait, toute une foule de détails que vous découvrirez au fur et à mesure que vous tournerez les pages de cet ouvrage. Plus encore, tout passe par la stratégie de marketing, où tout est prévu pour capter l'attention des clients. Le succès est toujours fait d'idées, d'imagination et de discernement.

En quoi ce livre peut-il vous aider ?

– Il vous montrera de façon très précise comment n'importe quel entrepreneur peut utiliser le marketing pour générer des profits avec un minimum d'investissements.

– Il peut vous éviter les nombreuses erreurs effectuées chaque jour.

– Il peut aider une petite affaire à devenir une grosse entreprise.

– Il vous donnera des idées et des conseils précieux.

Le marketing intelligent étudie toutes ses positions et ses interventions. Il argumente en s'appuyant sur la raison, jamais sur la passion. Il exerce une forte influence dans tout ce qu'il fait. Il possède une volonté de rigueur et de rendement. Il vise toujours à gagner quelque chose par rapport au passé. C'est tout cela qui fait sa puissance.

Le marketing intelligent, c'est aussi la curiosité professionnelle permanente. C'est se garder du temps pour réfléchir et analyser, pas seulement pour agir.

Les informations que vous trouverez tout au long de ce livre vous équiperont pour connaître toujours la réussite et vous éviteront les bavures qui mènent à l'échec.

Nul doute que le marketing intelligent doit être intégré dans toute entreprise, quels que soient son secteur d'activité et ses objectifs. Il doit aussi faire partie du plan d'affaires de l'entreprise. Les approches qu'il préconise sont essentielles au succès de tous et chacun.

Principe 1

Le marketing intelligent compte sur le pouvoir cérébral et non sur l'argent.

LE COMBAT CONTRE LES CONCURRENTS

Les deux types d'erreurs les plus fréquentes

Le combat contre les concurrents doit faire partie du plan de marketing de toute entreprise dès sa création. Il n'est pas de marketing intelligent sans une vision de combat. La plupart des entrepreneurs en prennent conscience longtemps après avoir lancé leur entreprise, lorsqu'ils se rendent compte qu'ils n'arrivent pas à s'approprier la portion du marché à laquelle ils aspiraient. C'est alors qu'ils commencent leur lutte contre les concurrents. Il est souvent malheureusement trop tard. Il s'agit là d'une erreur très courante. Lancer une entreprise est un projet très prenant. Il faut penser à une foule de détails, si bien qu'on omet souvent l'essentiel, ignorant ou sous-estimant l'importance d'une telle vision au départ.

Par ailleurs, d'autres entrepreneurs possèdent cette vision de combat dès la conception de leur projet d'entreprise. Néanmoins, ils ne prennent pas la peine de la poursuivre une fois que leur entreprise a décollé. Il s'agit également d'un autre type d'erreur très fréquent. Gérer une entreprise, c'est faire face à diverses contraintes et à des imprévus quotidiens. Il faut apporter chaque jour des solutions rapides à des questions souvent urgentes. On oublie donc l'essentiel : ses rivaux. Les entreprises croupissent dans la routine. Celle-ci est si puissante dans certaines entreprises que tout combat contre des concurrents, fût-il indispensable et parfaitement légitime, est sûr d'être mal accueilli. Le combat contre les concurrents requiert une initiative qu'on sait d'avance vouée à des changements au sein de l'organisation. C'est ce que souvent certains responsables d'entreprise redoutent, bien à l'aise dans leur train-train quotidien.

Un marketing intelligent fait du combat contre les concurrents une obsession, à partir de la création de l'entreprise et tout au long de son existence.

La nature du combat

Le combat porte sur plusieurs aspects: le concept, les types de produits ou de services offerts, les prix, les rabais, l'approche, le service, le matériel promotionnel, le contenu et le contenant, et les stratégies commerciales. Dans le combat contre les concurrents, le marketing intelligent tient compte de chaque élément sans négliger aucun détail. Il scrute chaque aspect et donne à l'ensemble une légère plus-value que pourra reconnaître le client au moment de sa décision d'achat.

Le combat contre les concurrents prend une dimension encore plus puissante de nos jours. Par exemple, les commerçants de détails varient leurs produits, s'attaquant ainsi à une gamme de produits offerts par d'autres. Ils visent ainsi un double objectif: exploiter au maximum leur espace et offrir tout aux clients sous un même toit. Certains misent sur le prix, d'autres se différencient par une clientèle qui a un peu plus de moyens. Certains adaptent leur politique de prix en misant sur le volume, comme leurs concurrents. La plupart du temps, le service à la clientèle ne suit pas. L'accueil est de mauvais goût. Un marketing intelligent veillera toujours à faire de la qualité du service une de ses priorités. Accompagné de prix concurrentiels, un bon service ne fera qu'accroître la clientèle et faire gagner du terrain à l'entreprise, par rapport aux adversaires qui en font moins.

Ce combat va encore plus loin. De plus en plus, des concurrents s'installent l'un en face de l'autre ou à l'un à côté de l'autre. C'est souvent le cas des supermarchés, des magasins de détails et des boutiques de vêtements.

La lutte est féroce

Dans cette lutte féroce, le marketing intelligent permettra de tout réaliser à moindre coût que tous les concurrents. Il s'agit là d'un des plus grands secrets dans les affaires. Comment faire pareil, ou même mieux, mais à moindre coût, pour dégager plus de profits et avoir les reins plus solides que ses compétiteurs ? C'est ainsi que la lutte contre les concurrents pourra être gagnée.

Jusqu'où va le combat contre les concurrents ?

Quelle en est la limite ? Il n'y a presque pas de limites. Pour conserver sa place, il n'y a d'autre recette que celle d'appliquer le marketing intelligent. Parfois, le seul moyen pour un concurrent de rester sur le marché, ou pour un concurrent en dehors de la région de pénétrer le marché étranger, c'est d'acheter l'autre. C'est ce qui se produit souvent.

Le combat contre les concurrents est une bataille sans fin à laquelle il faut participer chaque jour au risque de disparaître.

Détester perdre

Pour gagner dans le combat entre concurrents, il faut avant tout détester perdre. Cela implique de mettre en œuvre tous les moyens nécessaires à un combat de grande envergure.

La personne qui déteste perdre a plus de chances de gagner que celle qui se place dans une attitude passive. Il est indispensable de nourrir une aversion pour la passivité et de demeurer un lutteur inlassable. Pensez à toutes les personnes qui ont lutté pour des causes diverses: Jeanne d'Arc, Winston Churchill, Gandhi, et bien d'autres. Leurs causes étaient différentes, mais elles avaient une chose en commun qui les a aidées à vaincre: elles détestaient toutes perdre.

La force de l'innovation... pour se démarquer

Le combat contre les concurrents vise principalement à se démarquer. Pour ce faire, une entreprise doit, dans un premier temps, bien se renseigner sur ce que font ses concurrents. Aucun détail ne doit être omis. Dans un deuxième temps, l'entreprise devra se demander ce qu'elle peut faire de mieux ou de différent. La troisième étape consistera à vérifier si ce qu'elle fera apportera une plus-value aux clients potentiels. C'est ainsi qu'elle pourra apporter quelque chose d'original et proposer des produits ou services qu'on ne propose pas ailleurs. Enfin, il faudra s'assurer en dernier lieu de la rentabilité d'une telle innovation. Cette dernière étape est la plus importante et souvent celle qui est la plus sous-estimée. Car à quoi cela sert-il d'avoir le produit ou le service le plus compétitif s'il n'est pas rentable?

Le monde dans lequel nous vivons aujourd'hui favorise pleinement l'innovation. Il lui donne une force jamais égalée à ce jour. Nous avons tous toujours envie de quelque chose d'original, de nouveau, de spécial, qui répond à un besoin enfoui en nous-mêmes. Un expert en marketing doit savoir anticiper de tels besoins et apporter l'innovation qui les comble. C'est ainsi qu'il possédera une force de marketing inouïe par rapport à ses concurrents.

Par exemple, un hôtel de première classe dont le restaurant offre un buffet chaque dimanche midi mettait à la disposition des familles une salle de jeux et une éducatrice pour les enfants. Ainsi, les parents pouvaient manger en toute tranquillité tandis que leurs enfants s'adonnaient à cœur joie à des jeux instructifs. Ces éléments donnent une valeur ajoutée à l'entreprise.

Lorsque je décidai de lancer mon institut de langues au Québec, je notai qu'il existait plusieurs écoles linguistiques. Au fur et à mesure de mes recherches, je constatai que toutes les nouvelles écoles qui se trouvaient dans les pages jaunes l'année précédente avaient disparu l'année suivante. Les autres existaient depuis une dizaine d'années ou plus. Je compris alors que le seul moyen de survivre parmi ces instituts de langues bien établis était de m'en démarquer. Leurs groupes avaient de 10 à 15 étudiants par classe. Je décidai donc de créer un concept de six étudiants au maximum par classe afin de fournir un enseignement des plus personnalisés. La formule connut un plein succès très vite sur le plan national aussi bien qu'international. Il s'agissait de mon plus meilleur argument de vente et il a permis à mon établissement de se classer parmi les premiers au Québec et de faire sa réputation sur les cinq continents.

La force novatrice joue un rôle de premier ordre dans la bataille entre concurrents. Elle en est l'ingrédient principal. Ne pas en tenir compte dans les stratégies visant à contrer la concurrence ne fera que confiner l'entreprise dans la banalité et par conséquent la reléguer au second plan.

Cela ne suffit pas...

Mais dans un monde où la concurrence est de plus en plus forte et les changements ultra rapides, les personnes qui pratiquent le marketing intelligent savent fort bien que tout cela ne suffit plus.

Pour pouvoir bien mener le combat contre les concurrents, le marketing intelligent exige d'effectuer un suivi continu de ses adversaires pour rester à l'affût des dernières nouvelles. Malheureusement, beaucoup d'entreprises se contentent de minces recherches avant de lancer un projet, parfois durant une certaine période de temps, et ensuite ils ne prennent plus la peine de suivre cet aspect-là. Entre-temps, leurs concurrents avancent. Ils deviennent ainsi déphasés.

Le grand remède

Il faut avouer que le combat contre les concurrents est un mal nécessaire. Comme le dit si bien un vieil adage : « Aux grands maux, les grands remèdes. »

Quel est donc le grand remède à ce mal nécessaire qu'est le combat contre les concurrents ?

Les entreprises qui ont le mieux réussi connaissent bien ce remède. Grâce à lui, elles sont parvenues, si ce n'est à grandir, du moins à se maintenir. C'est un remède qui leur coûte assez cher, mais certainement moins cher que de devoir encourir des pertes et disparaître.

Il s'agit de la recherche, une recherche permanente, qui n'est jamais interrompue. En fait, ces entreprises sont en mode constant de recherche.

La recherche est un élément fondamental pour gagner le combat contre les concurrents. Elle est essentielle pour toutes les entreprises, peu importe leur taille ou leur secteur d'activité. Elle est indispensable à tous les niveaux. Le marketing intelligent n'insistera jamais assez là-dessus. Dans le chapitre suivant, nous verrons comment procéder et jusqu'où aller dans le domaine de la recherche.

Principe 2

Le combat contre les concurrents doit être envisagé dès la création de l'entreprise et se poursuivre tout au long de son existence.

LA RECHERCHE

Investissez temps et argent dans la pensée, l'éducation et la recherche

Toute recherche inclut l'éducation et la réflexion. Ces deux éléments sont des ingrédients indispensables à toute forme de marketing intelligent. La curiosité intellectuelle maintient la réflexion et la réflexion provoque la curiosité intellectuelle. Tous deux permettent de pousser la recherche plus loin, encore plus loin, toujours plus loin, et d'apporter les progrès en marketing. Il ne faut donc pas hésiter à investir le temps et l'argent nécessaires à cet effet. Car il n'y a pas d'avancement en marketing sans ces valeurs.

Tous secteurs confondus

Ce ne sont pas seulement les universités, les hôpitaux et les laboratoires qui s'occupent de recherche. Les entrepreneurs eux aussi doivent effectuer des recherches en permanence.

Que ce soit pour un produit cosmétique, un logiciel, un magasin de détail, un projet de services de garderie, ou pour un projet se rapportant à l'industrie de la musique ou de l'art, la recherche s'impose. Le marketing intelligent exige que toute entreprise poursuive sa recherche tout au long de son existence.

L'intelligence marketing

Il est important de faire la différence entre l'intelligence marketing et le marketing intelligent.

L'intelligence marketing est l'ensemble des moyens qui permettent aux décideurs de se tenir continuellement informés sur l'évolution de leur environnement commercial. Il s'agit d'un service de renseignements qui doit absolument exister dans toute entreprise qui pratique le marketing intelligent.

Ce service de renseignements va agir sur les trois axes suivants :

– Observation (courante et ciblée) ;
– Recherche (formelle et informelle) ;
– Analyse des données (informations, performances, statistiques).

Le marketing intelligent, quant à lui, est l'ensemble des moyens que l'on choisit de mettre en œuvre pour réussir dans un environnement commercial compétitif. Il veille à mettre sur pied et à développer constamment l'intelligence marketing au sein de l'organisation. Celle-ci va lui apporter des informations pertinentes qui sont le fruit d'une combinaison d'observations et de recherches perpétuelles.

Le pouvoir de la recherche

La recherche est donc au cœur de l'intelligence marketing. Le marketing intelligent valorise la recherche. Celle-ci permet de cueillir toutes les informations pertinentes au sujet des concurrents. Posséder des informations sur les concurrents procure à celui qui les détient une supériorité inouïe sur le marché. Cela va l'éclairer sur sa propre stratégie commerciale à adopter. Ce n'est qu'après avoir effectué des recherches approfondies que vous pourrez vous situer pour lancer votre entreprise ou vous remettre en question si celle-ci est déjà en activité. Ces recherches fouineuses mettront en lumière non seulement les forces et les faiblesses de vos concurrents, mais les vôtres aussi, ce qui vous permettra de vous mesurer à eux. Vous serez alors prêt pour le combat contre les concurrents.

L'importance de la patience

Bon nombre d'entrepreneurs ne prennent pas le temps nécessaire et se lancent dans leur projet sans être suffisamment préparés. Chaque étape du processus de recherche a son importance. Il est primordial de consacrer le temps nécessaire à chacune séparément. La durée de la recherche dépend du secteur d'activités. Dans certains secteurs, il faut compter une ou deux années, dans d'autres, trois ou quatre ans, et même parfois cinq ans ou plus. Il faut donc être patient. Faites de bonnes recherches pour déterminer comment vous pouvez vous tailler une place sur le marché. Il faudra peut-être adapter votre produit ou votre façon de faire en fonction de la situation du marché et de la concurrence.

Comment procéder ?

La première étape consiste à dresser une liste des points à vérifier selon nos besoins. Une telle liste pourrait contenir des questions sur les produits ou services offerts, les prix, les rabais offerts et leurs avantages, etc. En second lieu, il faudra cueillir les informations, habituellement par téléphone ou en se rendant sur place. Ensuite, il faudra étudier ces informations et les analyser, puis demander un complément d'information, s'il y a lieu. Une fois toutes les données soigneusement recueillies, il sera question de prendre les décisions qui s'imposent concernant nos propres produits ou services.

Les 7 étapes de la recherche

1re **étape :** Établir la liste des points à vérifier.

2e **étape :** Recueillir les informations.

3e **étape :** Étudier et analyser les données.

4e étape: Chercher un complément d'information, s'il y a lieu.

5e étape: Analyser les résultats.

6e étape: Évaluer les résultats.

7e étape: Prendre les décisions qui s'imposent.

S'il s'agit d'un lancement d'entreprise, il faudra créer nos produits ou services en fonction des données recueillies sur les concurrents. Si l'entreprise est déjà en activité, il faudra ajuster nos produits et services ou stratégies commerciales en conséquence.

Les 3 axes les plus importants

Pour percer n'importe quel marché, votre action se résume en 3 points:

1. **Réunir l'information**

   Mettez beaucoup de soin à rechercher l'information.

   Souvenez-vous qu'un marketing intelligent ne laisse rien au hasard.

2. **Étudier le marché**

   Votre produit ou service a-t-il sa place sur le marché visé?

   Le marketing intelligent exige une réponse claire et précise à ce sujet. Celle-ci doit être basée sur des faits et non sur des abstractions. L'abstrait et l'ambiguïté sont les deux ennemis du marketing intelligent.

3. **Visiter des expositions**

   Cibler des foires commerciales spécialisées, utiles pour votre secteur.

   Le marketing intelligent encourage la visite des expositions. Vous pourrez y recueillir des informations en plus d'effectuer des contacts.

Jusqu'où peut-on aller ?

Ceux qui appliquent le marketing intelligent veilleront à faire de la recherche un service permanent dans leur entreprise. La recherche doit se poursuivre de façon régulière. Elle sera déterminante à chaque étape du développement de l'entreprise. Plus important encore, elle déterminera ses objectifs de développement. Par exemple, si nos recherches révèlent que des manufacturiers concurrents effectuent l'acquisition de nouvelles machines hautement performantes, leur permettant d'obtenir un rendement supérieur à des coûts plus bas, nous pourrions être contraints à suivre leur développement technologique. Toutefois, ne perdez surtout pas de vue vos objectifs ! Il se peut que, pour des raisons pratiques, vous ayez à modifier légèrement votre stratégie. Ceci dit, il est très important de demeurer concentré sur vos objectifs et de ne pas suivre toutes les tendances du moment. Car rien ne tue davantage l'esprit du marketing intelligent que l'irrégularité et l'instabilité.

L'information

Il n'est point de recherche sans informations. Il en existe des tonnes. Le défi est de savoir choisir les informations dont on a besoin et surtout de savoir les utiliser à bon escient.

Une personne qui pratique le marketing intelligent est toujours soucieuse de bien gérer son temps. C'est pourquoi, avant de chercher n'importe quelle information, elle se questionne sur son utilité pour s'assurer du besoin imminent d'une telle information.

Un effort particulier doit être apporté à la qualité de l'information. Cette dernière sera déterminante dans le choix de votre approche et de votre orientation en marketing. Si cette information est fausse ou douteuse, votre marketing sera mal orienté. Il est donc nécessaire de prendre soin de valider toutes les informations, et surtout de les accueillir avec un esprit ouvert mais sceptique et une attitude impartiale, vous forçant à confirmer même des aspects qui vous paraissent évidents. Cela vous évitera bien des surprises.

En fait, l'information est tellement abondante qu'il est important, d'une part, de cibler les endroits où l'on veut la chercher et, d'autre part, de bien formuler les questions essentielles.

Le marketing intelligent privilégie diverses pistes pour rechercher de l'information. Les foires commerciales sont une façon d'accumuler discrètement et rapidement de l'information, en vous rendant en tant que visiteur à celles qui touchent votre domaine d'activité. Les articles de journaux et de magazines ainsi que les livres sont d'excellentes sources d'information. Bien entendu, les sites Internet sont aussi un moyen fort intéressant d'effectuer les recherches nécessaires. Le marketing intelligent est habitué à sortir des sentiers battus. Il utilise le téléphone pour obtenir des renseignements. Il effectue des visites. Il tend l'oreille aux clients des concurrents.

Le marketing intelligent s'assure d'utiliser tous les outils possibles et imaginables incluant ce qui suit :

- Les journaux ;
- Les pages jaunes ;
- Les revues spécialisées dans votre domaine d'activité.

L'objectif principal

Quel est donc l'objectif principal du travail de recherche ?

Un marketing intelligent vise principalement à établir par votre analyse que vous avez des avantages marqués sur les concurrents et surtout que vous pouvez vous différencier par rapport à eux. C'est autour de ces deux points que pivote toute la recherche. En tout temps durant son existence, les analyses des recherches effectuées par l'entreprise doivent aboutir au fait qu'elle possède des éléments concrets qui l'avantagent et la distinguent par rapport à tous ses concurrents.

Cet objectif doit demeurer invariable pour qui veut pratiquer le marketing intelligent.

Liste des points à vérifier lors de la recherche

Il existe plusieurs points à vérifier lors de la recherche sur les concurrents. La plupart des points énumérés ci-après s'appliquent à toutes sortes d'entreprises. Certains points sont réservés à certains secteurs d'activités. Chaque entreprise doit créer sa propre liste conformément à ses besoins.

1. Détails sur les produits ou services.
2. Structure des prix.
3. Politiques d'escompte, de crédit, de remboursement.
4. Garanties.
5. Avantages des produits et/ou services.
6. Rabais offerts.
7. Perception de la qualité du service.
8. Depuis quand existe l'entreprise?
9. Qui est derrière l'entreprise?
10. Depuis quand commercialise-t-elle les produits ou services en question sur le marché?
11. Les vend-elle ailleurs au pays et/ou à l'étranger?
12. Taille de l'entreprise (nombre d'employés).
13. Matériel promotionnel utilisé.
14. Comment fait-elle son marketing? Quelle est sa stratégie de marketing?
15. Clientèle cible.
16. Applique-t-elle le marketing intelligent?
17. Emplacement.

18. Heures d'ouverture.

19. Sa position sur le marché.

20. Forces et faiblesses.

21. Qu'est-ce qui lui manque pour avoir un meilleur produit ou service?

22. Peut-on faire mieux? Si oui, comment?

23. Continuera-t-elle d'offrir les mêmes produits ou services dans un proche avenir?

24. Envisage-t-elle de fournir d'autres produits ou services dans un proche avenir, ou bien compte-t-elle effectuer des ajustements concernant ses produits ou services actuels?

25. Chiffre d'affaires actuel de l'entreprise.

26. Son avantage compétitif.

27. Mon avantage compétitif.

28. Autres commentaires.

29. Évaluation. Perception.

Note : Bien évidemment, ces questions ne doivent pas être posées en une seule fois car cela pourra mettre le doute dans l'esprit du concurrent, ce qui aura pour effet de ne pouvoir obtenir sa coopération. De plus, certaines questions ne pourront être adressées directement. Elles doivent faire l'objet de recherches personnelles. Certaines informations peuvent être très difficiles à obtenir, mais, si on veut vraiment mener le combat contre les concurrents, il faut essayer d'obtenir le maximum d'informations possible. C'est cela le travail de recherche dans un marketing intelligent!

À quoi servent toutes ces questions?

Le rôle du marketing intelligent est de décortiquer les structures des concurrents. Le marketing intelligent est basé sur une réflexion profonde suivie d'une action tactique basée sur les données obtenues. Chaque question vise un but précis. Par exemple, les questions 10, 23 et 24 visent à identifier le cycle de vie du produit, du marché, de la concurrence.

L'erreur la plus courante

On n'insistera jamais assez là-dessus : la plupart des dirigeants d'entreprise ne prennent pas la peine d'effectuer leur recherche continuellement : manque de temps, de personnel, d'énergie. La recherche n'est pas perçue comme un moyen direct de faire des profits. Il s'agit bien évidemment d'une erreur fondamentale. Les bénéfices financiers qu'on peut tirer d'une telle action sont inestimables. Ils ne sont peut-être pas instantanés, mais ils sont imminents pour ceux qui prennent la peine d'accomplir cette tâche avec diligence.

Devancer le marché

La recherche permet aussi de devancer le marché. En recueillant des informations sur la concurrence, vous parvenez à anticiper les prochaines actions des concurrents et à vous positionner sur le marché en conséquence, de façon avant-gardiste. Cela surprendra vos concurrents qui n'auront d'autre choix que de vous tenir en respect.

Attention à l'information trompeuse !

La recherche tend des pièges insoupçonnées. Il est important de rester vigilant. La prudence exige de vérifier plusieurs fois les informations et de ne les valider que lorsqu'il y a certitude presque totale. Malgré cela, il est recommandé de garder un certain scepticisme face à tous les éléments en main, car les changements inattendus font toujours partie des règles du jeu, de bonne ou de mauvaise foi soient-ils !

Analyse de la concurrence

L'analyse de la concurrence permet de dégager vos forces et vos faiblesses. Elle vous aidera aussi à évaluer la taille du marché. Vous pourrez ainsi identifier ce qui pourrait éventuellement menacer votre réussite. Dans un marketing intelligent, vous

vous servirez de l'analyse de la concurrence pour atténuer suffisamment vos faiblesses et formuler un plan visant à vous distinguer de la concurrence.

En résumé

- **Créez un service d'intelligence marketing au sein de votre entreprise.**

  Mission : observer, effectuer des recherches, analyser les données, de façon régulière et permanente.

- **Suivez les 7 étapes de la recherche évoquées précédemment, à savoir :**

  1. Établir la liste des points à vérifier.
  2. Recueillir les informations (journaux, pages jaunes, revues spécialisées, renseignements par téléphone, visites, expositions, tendre l'oreille aux clients des concurrents, etc.).
  3. Étudier et analyser les données.
  4. Chercher un complément d'information, s'il y a lieu.
  5. Analyser les résultats.
  6. Évaluer les résultats.
  7. Prendre les décisions qui s'imposent (approche et stratégie si vous voulez lancer un produit ou un service, ajustements et modifications de stratégie si votre produit ou service est déjà en place).

- **Poursuivez vos visites des foires.**

- **Gardez l'œil sur vos 2 objectifs principaux :**

  1) **Analyser à fond la concurrence.**

     But : faire ressortir vos forces (vos avantages) pour vous démarquer. Identifier vos faiblesses pour les soigner ou à défaut pour les dissimuler.

2) **Anticiper les prochaines actions des concurrents ou du marché** pour être avant-gardiste et surprendre vos rivaux et le marché.

- **Attention à l'information trompeuse**!

  Accueillez tout avec scepticisme. Vérifiez, vérifiez à nouveau, vérifiez encore et encore.

Principe 3

Faites de la recherche votre compagnon, de la naissance de votre entreprise et tout au long de son existence.

LES CINQ PHASES DU COMBAT

Le marketing, c'est comme la guerre. Dans la guerre, il existe des phases.

Phase 1 : **Planification**

Phase 2 : **Déploiement**

Phase 3 : **Combat**

Phase 4 : **Consolidation**

Phase 5 : **Redéploiement**

À ces phases, correspondent des objectifs.

Phase 1 : Planification

L'objectif est de planifier dans le moindre détail le combat. La planification est au cœur de la recherche. Le but est clair : se préparer pour agir sur le marché de la façon la plus concurrentielle possible. En d'autres termes, se préparer pour réussir le combat.

Phase 2 : Déploiement

Une fois la planification effectuée, le second objectif sera de mettre en œuvre ce dont nous sommes capables. Cela doit être effectué selon une stratégie bien déterminée. Il faudra opter entre un profil bas ou des démonstrations explosives.

Un coureur de cent mètres choisit entre commencer sa course en force et la terminer avec la même force (ce qui est idéal!), ou accentuer sa course vers la fin pour donner le meilleur de lui même à l'approche de l'objectif final, ou commencer sa course en force quitte à la terminer avec les énergies qui lui restent. Chacune de ces trois méthodes est fort discutable. Les trois sont valables pourvu qu'on puisse fournir la dose d'énergie nécessaire pour se mesurer aux concurrents. Car, en fait, la force qu'il faudra fournir dépendra des forces concurrentes déjà en place. De façon générale, le fait de se lancer en force sur le marché permet de s'imposer dans la cour des concurrents. C'est la tactique que j'ai utilisée dans mes divers projets d'entreprise. Elle s'est avérée extrêmement efficace. Elle m'a permis d'avoir des résultats intéressants en peu de temps et de m'imposer face à des concurrents de taille établis sur le marché depuis longtemps. Elle a été moins heureuse lorsque j'ai lancé un nouveau produit sans le tester suffisamment. J'ai appris à mes dépens à être plus prudent par la suite, mais surtout à accorder plus de temps à la préparation. Il est toujours préférable d'avancer à petits pas au début pour tester votre produit ou service. Une fois que les ajustements de base auront été entrepris, vous pourrez déployer un marketing plus puissant.

Phase 3 : Combat

Maintenant, le combat bat son plein. On lutte bec et ongles. On n'est plus en mode de réflexion. Le temps n'est plus aux hésitations. On applique le programme soigneusement préparé. On fait le point après.

Phase 4 : Consolidation

On consolide ses assises. On améliore ses coups.

Phase 5 : Redéploiement

C'est le temps d'effectuer un repli pour se positionner à nouveau et entrer à nouveau en scène encore plus fort!

La clé de la réussite

Le combat est permanent dans les affaires. Les données changent constamment parce que les marchés évoluent en permanence. Par conséquent, il faut à chaque fois répéter le même exercice en améliorant ses techniques. Ces phases doivent donc être répétées en permanence. C'est seulement en étant un combattant infatigable qu'on peut prétendre pratiquer le marketing intelligent.

> ## Principe 4
> *Il est essentiel de reconnaître les cinq phases du combat et d'être un combattant infatigable.*

LES ÉTAPES ESSENTIELLES D'UN MARKETING INTELLIGENT

Réussir grâce à un marketing intelligent relève d'un processus méthodique qu'on pourrait résumer en sept étapes. L'application chronologique de ces diverses phases vise à devancer vos concurrents et à augmenter vos profits. Toutes ces étapes sont nécessaires.

Voici donc le marketing intelligent en sept étapes :

1. La recherche
2. L'identification des avantages
3. Le choix des outils
4. Créer un plan de marketing intelligent
5. Maintenir le programme
6. Le suivi
7. La coentreprise

Quel est le rôle de chacune d'elles ?

1.   La recherche

La première étape consiste à entreprendre toutes les recherches possibles et imaginables. Cela veut dire enquêter sur votre marché, votre produit ou service, votre clientèle cible, votre concurrence, votre industrie, et sur les possibilités d'annoncer dans les médias. Quel média atteint votre public cible? Quel média poussera vos clients potentiels à répondre à votre offre et à acheter? Devriez-vous focaliser toute votre attention sur la publicité ou le marketing direct, ou sur une combinaison des deux? Il existe des tonnes d'information partout, sur Internet, dans les médias, dans la rue, etc., qui peuvent vous aider à réussir dans votre recherche. Celle-ci doit se conclure par des réponses précises à toutes ces questions.

2. L'identification des avantages

La deuxième étape, c'est d'établir la liste des avantages. Une fois que vous avez cette liste, sélectionnez votre avantage concurrentiel parce que c'est avec cet avantage que vous allez gagner. Si vous n'avez pas d'avantage concurrentiel, vous devrez en créer un, parce que vous en aurez besoin. Après tout, toute entreprise peut se créer une liste d'avantages. Réfléchissez bien à ceci: pourquoi les gens devraient-ils choisir de travailler avec vous plutôt qu'avec un de vos concurrents? C'est la première question qu'ils se poseront avant de fixer leur choix. Une entreprise qui n'est pas capable de fournir au moins un avantage concurrentiel substantiel ne pourra pas survivre dans un climat économique aussi compétitif.

L'identification des avantages vous fournira les atouts suivants:

– Elle vous permettra de rendre votre annonce irrésistible;

– Elle vous permettra de mettre en lumière un avantage unique;

– Elle vous permettra d'effectuer une offre sensationnelle;

– Elle vous donnera la possibilité de faire une promesse puissante.

3. Le choix des outils

La troisième étape consiste à choisir les outils que vous utiliserez. Vous trouverez plein d'exemples d'outils dans ce livre. Il est recommandé d'utiliser autant d'outils que vous le pouvez. Une fois que vous les avez sélectionnés, classez-les par ordre de priorité. L'idée du marketing intelligent, c'est de sélectionner beaucoup d'outils, de les positionner selon l'importance que vous voulez leur accorder, puis de les lancer à votre propre rythme. Il est inutile de courir. Prenez le temps qu'il faut. Cela peut vous prendre un an ou même deux.

4. Créer un plan de marketing intelligent

La quatrième étape consiste à créer un plan de marketing intelligent. Il s'agit de l'élaborer en fonction de tous les éléments énumérés dans ce livre.

Lors de la préparation, beaucoup de décisions doivent être prises. Il est inutile d'en laisser plusieurs de côté, prétextant le manque de temps et la nécessité de commencer à faire rentrer les fonds nécessaires pour survivre. Il faut trouver d'autres moyens de survie. Parmi les grandes décisions à prendre, notons le prix. Bien qu'il soit un facteur déterminant, il n'est pas le plus important ni le seul facteur en jeu ! Si la qualité de vos produits et de vos services exige des prix inflexibles que vous n'êtes pas prêt à négocier, il est absolument nécessaire de prévoir d'autres choix durant la préparation.

Le marketing intelligent requiert de s'assurer de la rentabilité de votre plan. Avant de surcharger votre plan de marketing d'outils pour maximiser votre rendement, vous devriez plutôt vous pencher sérieusement sur toutes les possibilités d'un marketing intelligent. Cela vous évitera d'être forcé de recourir à ces moyens, alors qu'il sera trop tard. Un plan de marketing qui n'obtient pas les résultats escomptés dans la limite de temps planifiée a forcément une approche inadéquate. Un plan de marketing qui donne certains des résultats escomptés, mais qui ensuite n'arrive pas à consolider les premiers efforts, devrait sans doute être revu et remodelé en fonction des développements en cours.

5. Maintenir le programme

La cinquième étape est la plus difficile. Maintenir le programme signifie vous en tenir à votre plan et à vos outils, même si vous n'êtes pas récompensé tout de suite, comme vous l'auriez souhaité. Chacun veut que le succès vienne instantanément. Cela ne se passe pas comme cela dans *la vraie vie*. Que d'entreprises, aujourd'hui, parmi les plus accomplies, n'ont obtenu dans leur première année de marketing que de piètres résultats ! Maintenir votre programme vous aidera à réaliser vos objectifs.

6. Le suivi

La sixième étape, c'est d'effectuer un suivi. Celui-ci est extrêmement important. Sachez que l'application d'un marketing intelligent exige que vous ne cessiez jamais d'effectuer des suivis. Certains outils donneront des résultats intéressants, d'autres moins, d'autres pas du tout. Comment sauriez-vous lequel est plus efficace qu'un autre ? En demandant à vos clients comment ils ont entendu parler de vous. En cherchant ce qui les a poussés à vous joindre. Le suivi demande des efforts soutenus. Ce n'est pas une tâche facile, mais elle est nécessaire. Si vous n'êtes pas prêt à effectuer un suivi, vous n'êtes pas prêt à vous lancer dans le marketing intelligent.

7. Cœntreprise

Associez-vous à des personnes. Remplacez la compétition par la coopération.

Étape par étape

Ces sept étapes peuvent être franchies en très peu de temps ou en quelques longs mois, mais chacune doit être réalisée avant

---

de passer à la suivante. Les avantages concurrentiels ne peuvent être explorés avant que vous n'ayez procédé à vos recherches. Vous ne pourrez maintenir votre plan si vous ne l'avez pas bien préparé à l'avance. Se lancer sans préparation ou avec peu de préparation relève de l'utopie. Pourtant, beaucoup d'entrepreneurs y vont de leur intuition, sans plan stratégique suffisamment concocté.

Principe 5

Il est important de reconnaître les 7 étapes essentielles d'un marketing intelligent, mais surtout de comprendre le rôle de chacune d'elles pour pouvoir devancer les concurrents et augmenter les profits.

L'ESSENCE DU MARKETING INTELLIGENT

La question fondamentale

La question fondamentale que se pose tout entrepreneur, dirigeant d'entreprise ou responsable du marketing est la suivante : mes clients potentiels sont-ils sensibles au *prix*? Si oui, s'agit-il du seul facteur qui peut influencer leur décision d'achat? Un bon *service*, une offre de *produits ou services diversifiés*, des produits ou services complémentaires, les promotions, la proximité, ou d'autres dimensions commerciales, peuvent-ils aussi les influencer?

Le marketing intelligent reconnaît que l'essence même de ce type de marketing consiste à se préoccuper de tous ces aspects, plus particulièrement des trois suivants : le prix, le service et la variété. Il reconnaît aussi la nécessité de faire la part des choses. Les priorités varient selon le type d'industrie. Certaines industries sont forcées de miser énormément sur le prix, alors que d'autres le sont moins.

Il existe une autre question aussi importante que se posent les gens du marketing : quel est le prix maximum que je peux demander? À cette question s'ensuit une autre, tout aussi fondamentale : dois-je exiger le prix maximum? Ai-je besoin de le faire pour couvrir mes dépenses et m'assurer un profit suffisant? Puis-je ajouter quelques sous à mon prix?

Que font les experts en marketing intelligent ? Tout en ne négligeant pas les aspects qui représentent l'essence même du marketing, ils déploient les outils, techniques et stratégies qui dépassent le cadre des éléments visibles. C'est ce que nous allons développer dans les chapitres qui suivent. C'est là que réside la plus grande force du marketing intelligent !

L'essence se définit selon le secteur !

Dans un marketing intelligent, l'essence se définit selon le secteur. Par exemple, dans le secteur de l'immobilier, l'emplacement et le *timing* constituent l'essence même du marketing. D'ailleurs, on connaît bien le vieil adage en immobilier : emplacement, emplacement, emplacement. Quant au *timing*, il faut parfois attendre que tous les éléments soient en place pour une reprise avant d'agir. Il s'agit également de trouver les bonnes occasions. Quand le marché est mou, c'est alors qu'il faut regarder le tout de près. C'est tout le contraire de ce que font souvent certaines personnes. Enfin, la diversification des opérations est primordiale pour éviter la concentration du risque. Les spécialistes vous le diront. En immobilier, c'est connu, il faut poursuivre plusieurs projets en même temps pour en voir un se concrétiser.

Dans le secteur manufacturier, la survie des produits dépend de leur commercialisation à l'échelle mondiale. Plus l'entreprise est connue internationalement, plus intelligent sera son marketing.

L'habileté consistera ici à trouver les marchés porteurs, parfois sans égard à leur situation géographique. Voici une autre erreur que font beaucoup d'entrepreneurs : ils visent les marchés les plus proches parce que la logique veut qu'on s'attaque d'abord aux marchés voisins. Or, le marketing intelligent est plus nuancé à ce sujet. Il vise tout d'abord les possibilités.

Suivre ou devancer le marché ?

Il faut savoir déceler les tendances avant qu'elles apparaissent et, lorsqu'elles apparaissent, avoir d'autres solutions en réserve. Cette approche va contribuer à éviter de vider le marketing intelligent de sa substance.

Vision d'avenir

Le marketing intelligent doit planifier l'avenir dans un marché où la clientèle, les attentes des clients, la technologie, la structure organisationnelle et l'information évoluent à une vitesse vertigineuse. Dans le marketing intelligent de demain, la vision d'avenir sera de plus en plus l'essence même de son existence. La fragilité du présent appelle une réflexion sur l'avenir. Le fait d'éviter de focaliser sur l'économie d'aujourd'hui pour bâtir celle de demain permet, malgré l'évidence de l'incertitude du futur, de contrecarrer éventuellement la volatilité du présent.

La diversification au cœur de la stratégie

La diversification est un grand mot qui porte beaucoup de significations en marketing et qui a occasionné bien des maux de tête à plusieurs dirigeants d'entreprise dans les années 1980. À cette époque, l'effervescence des diversifications était à son apogée. La mauvaise compréhension, et par conséquent la mauvaise interprétation de cet aspect, était aussi à son plus haut degré. Cette frénésie touchait la planète entière. Où que je me fusse trouvé, que ce soit au Québec, en Ontario, en Colombie-Britannique, aux États-Unis, en France, au Japon, dans les pays du Moyen-Orient, partout, c'était le même refrain : la diversification à tout prix. En un mot, c'était la mondialisation de la diversification. Dix ans plus tard, celle-ci avait laissé derrière elle des entreprises anéanties, d'autres exténuées et pratiquement aucune renforcée. Pourquoi ces diversifications ratées partout ?

En règle générale, il vaut mieux ne pas se cantonner dans un secteur. Mais cette règle a plusieurs exceptions. Elle comporte surtout une nuance bien marquée, à laquelle on ne prêtait nullement attention dans le passé. C'est pour cette raison que des géants de l'alimentation, qui avaient fait des acquisitions dans d'autres secteurs, ont failli tout perdre à cause de cette diversification. Ils s'y sont pris à temps pour se retirer et se concentrer sur leur métier d'épicier. D'autres n'ont pas eu le temps de se relever au bon moment. Des entreprises de divers secteurs ont été rudement affectées.

Lors d'une réception, je me suis trouvé assis à la même table que le directeur financier du géant québécois de l'alimentation Provigo. Il me raconta avec amertume comment ils étaient à deux doigts de perdre cette chaîne de magasins aussi bien établie, à cause de l'acquisition de Distribution aux consommateurs. Ceux qui se souviennent de cette époque, où l'on se rendait chez ce détaillant pour acheter sur catalogue des produits que l'on ne retrouvait pas le plus souvent sur le marché, savent pourtant à quel point ce concept paraissait être un succès. Et pourtant, il s'agissait pour Provigo d'un domaine nouveau. Il fallait gérer deux géants dans deux secteurs qui pouvaient paraître proches d'une certaine manière, mais qui étaient en réalité bien différents. Ce directeur financier m'expliqua que le seul moyen de pouvoir conserver Provigo avait été de se départir de Distribution aux consommateurs. Il s'agit d'un scénario qui fut très répandu dans le dernier quart du siècle passé.

Un homme d'affaires que je connais avait démarré une chaîne de restauration rapide en Californie, à cette même époque. Celle-ci fonctionnait très bien. L'homme a alors pensé qu'il était bon dans les affaires qui touchaient l'alimentation et voulut réaliser son rêve d'ouvrir un restaurant. En l'espace d'une année, il perdit tout ce qu'il possédait, incluant sa superbe maison située dans le quartier le plus huppé de sa ville. Et pourtant, ils étaient six actionnaires assez solides financièrement dans ce projet.

Alors, cette fameuse diversification doit-elle oui ou non être au cœur de la stratégie ?

Nous avons parlé plus haut de nuance par rapport à ce terme, qui fut mal compris autrefois. En effet, le *Robert* définit la diversification comme suit : « Le fait de varier les biens que l'on produit, vend ou achète, ou de mettre en œuvre de nouveaux produits ou services. » Et, lorsqu'on y explique le sens didactique du mot, on peut y lire : « Le fait d'assurer des possibilités de choix dans l'enseignement (Cours, matières à option ; opposé à programme unique.) » C'est ce que j'avais fait dans mon institut. J'avais diversifié mon produit en offrant d'abord des cours de comptabilité, ensuite de comptabilité informatisée, après quoi d'informatique (traitement de texte, base de données), enfin de langues (anglais, espagnol, français langue seconde).

Le choix de diversifier ou de se concentrer est souvent un choix difficile à faire par les dirigeants d'entreprise. Il est fort compréhensible que ces derniers ne veuillent point mettre tous leurs œufs dans le même panier. Ils cherchent à sécuriser leur empire. Malheureusement, c'est souvent le contraire qui arrive.

Le marketing intelligent privilégie la diversification dans la complémentarité. C'est ce qui a le mieux réussi au fil des années! Grâce à cette politique intelligente, beaucoup d'entreprises à travers le monde ont pu éviter la faillite de leur affaire. La marge entre la diversification et la complémentarité est souvent assez mince. C'est pourquoi une telle initiative exige beaucoup de doigté et surtout une bonne dose de réflexion. Un examen objectif de tous les enjeux propres à une telle question, aussi épineuse, s'impose. La meilleure diversification qui puisse exister est celle qui permet des efforts de marketing consolidés, ce qui va avoir des influences positives sur les divers aspects qui constituent l'essence du marketing intelligent.

Le plus souvent, la diversification se fait à l'intérieur même de l'entreprise, par l'ajout de produits et de services. Une telle initiative permet aux clients de bénéficier d'une plus grande variété de produits et de services. Le marketing de l'entreprise est ainsi renforcé par cette diversité. Les coûts de gestion sont presque les mêmes, ce qui permettra à l'entreprise d'offrir à ses clients des prix plus intéressants. C'est là où la diversification peut le mieux réussir.

Un détaillant du secteur de l'automobile peut décider de se concentrer sur les voitures de luxe. Mais il va élargir sa gamme. Par exemple, il va vendre des véhicules neufs, des voitures particulières, des véhicules utilitaires. Il va aussi offrir des véhicules d'occasion, un créneau très lucratif. Il va aussi s'assurer d'offrir un vaste choix de marques parce qu'il est conscient que le secteur de la vente d'automobiles change. La fidélité à une marque n'est plus ce qu'elle était. Alors que nos parents et nos voisins troquaient une marque contre une même marque, nous nous montrons beaucoup plus opportunistes.

C'est dans ce sens que la diversification doit faire partie de la stratégie. Les exigences des consommateurs sont devenues très variées et très pointues; il est pratiquement impossible de les satisfaire toutes avec une gamme réduite de produits ou de services. Sinon, un commerçant perd les trois quarts de son marché. Il devient donc de plus en plus risqué, pour tout entrepreneur, de n'offrir qu'une seule marque ou une gamme limitée de produits ou de services. De plus, il doit aussi l'étendre au gré des besoins du marché. Vendre tout sous un même toit fait partie de la bonne diversification.

Ceci dit, la diversification dans son sens plus large peut être fort intéressante dans certains secteurs d'activités, par la logique même des choses. Par exemple, une entreprise œuvrant dans le secteur de la technologie peut diversifier ses services avec succès en offrant de la formation en informatique.

Une entreprise de conseils peut aussi offrir de la formation dans son domaine.

Un consultant peut fournir de la formation et également écrire des livres. Ces trois activités sont parfaitement complémentaires. Mieux encore, l'une renforce l'autre. Le consultant fournit son expertise en offrant des conseils dans son champ d'expérience, donne des conférences et des séminaires de formation, en plus d'écrire des livres relatifs à ses connaissances et à sa pratique. C'est mon cas.

Éviter les dépassements de coûts

On ne peut clore ce chapitre sans évoquer cet aspect intimement lié à l'essence du marketing. On oublie souvent que les coûts sont directement liés aux profits. Par conséquent, on a beau pratiquer le marketing intelligent en s'assurant que tous les éléments sont en place, les dépassements des coûts peuvent être fatals. Surveillez chaque dépense. Vous serez surpris de constater à quel point certains frais sont totalement inutiles.

La recette qui ne change pas !

La relation humaine compte souvent plus que d'autres éléments tels que les arguments, le prix, etc. L'honnêteté, la franchise, la transparence ne sont jamais peine perdue en marketing. Le marketing intelligent met ces valeurs en vedette dans tout ce qu'il entreprend.

Principe 6

L'essence du marketing intelligent consiste à se préoccuper des divers aspects susceptibles d'influencer les clients potentiels, notamment le prix, le bon service et la variété des produits et services.

VOTRE MEILLEUR TEST

Y avez-vous pensé? Les adolescents sont votre meilleur test! Ils sont à une période de la vie où leurs sens de l'observation, du goût et de réception sont parmi les plus forts de tous les âges. Ils sont aussi les consommateurs de la plus longue durée de vie. Tout marketing intelligent devrait les viser pour les fidéliser.

Les avocats, les banques, les comptables, les éditeurs, les manufacturiers, les universités, tous les intervenants sur le marché devraient les courtiser. Ils peuvent bien être leurs clients de demain.

Bien évidemment, cela ne s'applique pas systématiquement à tous les produits et services, mais à un grand nombre d'entre eux, particulièrement dans les domaines suivants: l'alimentation, l'éducation, le cinéma, les gadgets électroniques, les livres, les loisirs, la musique, les ordinateurs, les revues, les sports, les vêtements.

La capacité d'écoute... qui fait la différence...

Dans un marketing intelligent, votre capacité d'écoute fait toute la différence. Écoutez les jeunes adolescents. Ils ont des idées à nous communiquer. Observons leur façon d'agir. Elle peut nous instruire sur les besoins futurs. Le meilleur plan demeure celui qui va faire le mieux réagir les consommateurs.

Les ados en sont le bassin le plus important. On n'y pense pas, et pourtant, c'est la réalité!

Tester, tester, tester!

Peu importe ce que vous vendez, que ce soit un produit ou un service, vous ne connaîtrez jamais vos chances de succès si vous ne le testez pas: testez, testez et testez encore.

Quiconque vous promet monts et merveilles en affaires sans des faits basés sur des tests est soit inexpérimenté, soit indigne de confiance.

La seule façon fiable de maximiser vos chances de succès en marketing est de tout tester: votre emplacement, divers messages publicitaires, différents outils.

En essayant plusieurs choses différentes durant une période de temps suffisante, vous serez en mesure d'avoir des données statistiques. En fait, vous aurez fait une étude de marché. Vous aurez l'occasion de vérifier les réactions des clients potentiels, aussi bien positives que négatives. Mais surtout, gardez à l'esprit qu'il y a tout un chemin entre le fait de dire «Oui, je suis intéressé» et le fait d'acheter réellement.

Que de fois vous avez choisi tel ou tel moyen promotionnel, une bannière dans un site, une publicité dans un journal quelconque, un envoi postal, etc., et avez été déçu des résultats.

Alors que faire? Continuer d'annoncer sur un site Internet où on annonce depuis trois mois sans résultat? Se retirer en se disant que c'était une perte de temps et d'argent? Ou changer votre message en vous disant qu'il n'est peut-être pas adéquat pour le genre d'internautes qui consultent le site Internet où votre entreprise est annoncée?

Le marketing intelligent recommande de tester divers outils avant de juger si c'est votre contenu qu'il faut changer ou le moyen publicitaire en question. Vous serez souvent tenté de penser qu'il faudra peut-être baisser votre prix. Vous serez surpris de constater que, en le haussant, vos ventes augmentent souvent.

Comment tester?

Votre prochaine question pourrait être : «Comment tester?»

Dans un marketing intelligent, vous devez d'abord établir les objectifs du test. Pourquoi voulez-vous tester? Est-ce pour vérifier si votre produit ou votre service peut se vendre? Ou pour recevoir des commentaires qui vous aideront à établir la meilleure stratégie dans l'avenir?

Vous avez besoin d'un plan. Vous avez aussi besoin d'une stratégie de marketing intelligent au sein de votre plan. Si vous préparez ces deux outils correctement et si vous effectuez un bon suivi, vous réussirez.

Votre plan ressemblera à ceci :

Test concernant un logiciel de gestion destiné aux avocats.

Objectifs du test :

- Vérifier si ce logiciel peut être vendu aux avocats de la région visée ;
- Obtenir des commentaires sur les ajustements nécessaires à effectuer, s'il y a lieu ;
- Établir une stratégie pour vendre ce logiciel trois mois après le test.

Stratégie de marketing :

- Prendre contact avec une firme d'avocats pour lui présenter le nouveau produit. Mettre l'accent sur le fait qu'il s'agit d'un logiciel très simple à installer et à utiliser, qui simplifie la vie de l'entreprise. Sur place, demander de voir le logiciel déjà en fonction dans la firme pour comparer et faire ressortir les avantages du nouveau produit.

- Offrir à trois firmes d'avocats du Québec qui n'ont pas encore un logiciel assez avancé de leur installer sans frais le nouveau produit. L'objectif est de développer avec ces firmes les données dont ont généralement besoin les avocats du Québec.

- Effectuer des déjeuners de présentation dans des hôtels en vue de présenter ce nouveau logiciel à des avocats de Montréal.

Principe 7

Peu importe ce que vous vendez : testez, testez, testez encore.

Pour certains produits ou services, votre meilleur test, c'est le public des adolescents.

LES 10 PLUS IMPORTANTS SECRETS DU MARKETING INTELLIGENT

Ces secrets sont ce qui fait la grande réussite de plusieurs entreprises. Le succès de toute affaire, et surtout sa pérennité, sont directement liés à ces 10 facteurs importants. Ils sont la pierre angulaire du marketing intelligent. Ces 10 mots seulement ont chacun une puissance extraordinaire.

1. **Engagement :** S'engager vis-à-vis du programme de marketing est un des facteurs de succès les plus importants. Un programme de marketing médiocre dans lequel vous vous engagez vaut mieux qu'un excellent programme de marketing dans lequel vous ne vous engagez pas. L'engagement, c'est la clé du succès.

2. **Investissement :** Il est tellement important de considérer votre programme de marketing comme un investissement. Le temps et les frais consacrés au marketing ne sont pas une dépense.

3. **Cohérence :** Il faut s'assurer que votre programme de marketing est cohérent. La régularité et la cohérence de votre action font la moitié du travail. Il faudra sans doute de huit à dix activités de suivi avant de pouvoir entrer dans une transaction proprement dite. C'est pourquoi vous devez considérer votre programme comme un investissement à

long terme et surtout vous y engager à fond. La cohérence entraîne la confiance et la confiance entraîne les bonnes affaires. Il faut donc faire preuve de régularité et d'homogénéité dans votre marketing. Il n'y a rien qui ajoute davantage à la crédibilité de votre message que le fait de dire la même chose durant plusieurs années, c'est-à-dire d'afficher une cohérence sans faille.

4. **Confiance :** La confiance est l'élément numéro un. Les gens achètent vos produits, utilisent vos services ou font affaire avec vous parce qu'ils ont avant tout confiance en vous et en votre entreprise. En appliquant les secrets du marketing intelligent, vous susciterez leur confiance. Le marketing constant amène la confiance.

5. **Patience :** Patience égale profit. Si vous n'êtes pas patient dans la gestion de votre marketing, il vous sera difficile de vous engager dans votre programme, de le voir comme un investissement, d'être cohérent et de susciter la confiance. Dans un marketing intelligent, la patience est une grande vertu. Ne perdez pas votre sang-froid. Que de personnes ont malheureusement abandonné la partie alors qu'il n'aurait peut-être fallu qu'un petit pas de plus pour qu'un plan se transforme en réussite. La ténacité, lorsqu'elle est légitime, s'avère le plus souvent rentable. Souvenez-vous des footballeurs : ils gagnent souvent un match durant les dernières secondes. Pensez aux grands compositeurs : leur plus beau morceau de musique est le plus souvent celui qu'ils ont composé vers la fin de leur existence. Tenez-vous-en au plan dans lequel vous vous êtes engagé. Il prendra son envol à un moment donné et récompensera vos efforts. Vous verrez ainsi venir les résultats que vous escomptez. Vous serez surpris de voir à quel point ce qui paraissait impossible il y a quelque temps devient tout d'un coup réalisable à force de persévérance.

Un journaliste qui interviewait un jour un grand homme d'affaires lui demanda ce qui, selon lui, était le facteur le plus déterminant pour réussir. L'homme d'affaires lui répondit par un seul mot : patience. Le journaliste, insatisfait de cette brève réponse, voulut en savoir plus. Alors cet homme d'affaires poursuivit : « Il faut être disposé à répéter la même chose 100 fois s'il le faut. » Le journaliste lui demanda alors : « Est-ce que c'est comme cela que vous agissez dans vos affaires ? » L'homme acquiesça. Le journaliste demanda alors : « Et si au bout de 100 fois, vous ne réussissez toujours pas ? » L'homme d'affaires lui répondit : « J'essaierai une 101ᵉ fois. J'essaierai toujours, jusqu'à ce que cela marche. »

Bien évidemment, lorsque quelque chose ne fonctionne pas comme il faut, on doit revoir ses stratégies. Il ne s'agit pas de continuer la tête baissée. Mais il faut continuer. C'est le seul moyen d'y arriver.

Durant mes 20 ans dans les affaires, tous les projets que j'ai entrepris me paraissaient au début pleins d'obstacles. Je ne me rappelle d'aucun projet où je me suis accroché à mon plan qui n'ait pas réussi. Au fur et à mesure que j'avançais, les obstacles tombaient. J'ai aussi été témoin de la même situation concernant plusieurs projets se rapportant à d'autres personnes et à d'autres entreprises. En s'accrochant à leur plan, ils ont fini par concrétiser leurs rêves, nonobstant les multiples obstacles de toutes sortes qui se dressaient devant eux.

6. **Assortiment :** Le marketing intelligent sait que les outils individuels de marketing fonctionnent rarement seuls. Il faut combiner diverses techniques. Un large éventail d'outils de marketing est nécessaire pour attirer des clients.

7. **Accommodement :** Qu'il soit facile de travailler avec vous. Pensez davantage à faciliter la vie des autres que la vôtre.

8. **Évaluation :** Vous n'avez pas idée à quel point le fait d'évaluer les résultats de votre marketing peut contribuer à augmenter vos profits. Certains outils attirent les clients, d'autres ratent leur cible. Si vous ne les évaluez pas, vous

ne pourrez savoir ce qui fonctionne et ce qui ne fonctionne pas.

9. **Consentement** : Dans un environnement commercial submergé par le marketing, la force du marketing intelligent réside dans votre capacité à obtenir le consentement pour qu'on accepte de recevoir votre matériel de marketing. Cela vous permettra d'entreprendre votre marketing auprès de ceux qui vous ont donné ce consentement. Votre marketing aura ainsi un impact encore plus fort. Votre investissement sera utilisé à bon escient. Vous éviterez ainsi de gaspiller du matériel de promotion auprès de gens qui ne vous l'auraient pas demandé.

10. **Facteurs clés** : Il s'agit des facteurs clés sur lesquels le client se basera pour choisir votre produit ou service plutôt que celui d'un concurrent. Ce sont les facteurs qui vous permettront de vous différencier, de vous imposer par rapport aux concurrents. Il s'agit d'un élément clé du marketing intelligent. Connaissez-vous par cœur les facteurs clés de votre entreprise ?

Principe 8

Les 10 plus importants secrets du marketing se résument en 10 mots : engagement, investissement, cohérence, confiance, patience, assortiment, accommodement, évaluation, consentement et facteurs clés.

LES SECRETS D'UNE PLANIFICATION RÉUSSIE

Le plan de marketing

Le marketing intelligent ne va jamais sans un plan de marketing. Il s'agit pour lui d'une obligation absolue. Il reconnaît que ce qui fait la différence entre une entreprise qui réussit et une autre qui échoue, c'est bien la planification.

Le plan de marketing est à la base du succès. Ce document de référence permet le positionnement de l'entreprise sur le ou les marchés à conquérir. Il rappelle les engagements à prendre et les moyens à mettre en œuvre.

On ne le dira jamais assez : un plan de marketing bien fait est un gage de succès. La première condition d'un bon plan est un énoncé clair de votre positionnement. Vous pouvez le planifier en plusieurs pages, mais l'énoncé de votre positionnement doit être fait en quelques lignes. Par exemple : «Nous allons créer une équipe de représentants forte et bien formée pour accéder au marché et consolider notre position en l'espace de trois mois à compter de la mise sur pied de l'équipe.» Pour une entreprise établie depuis longtemps, la simplicité doit être encore plus renforcée. Par exemple, elle pourra définir le tout en deux lignes : «Nous allons miser sur nos forces existantes pour atteindre une croissance rentable dans le siècle à venir.» Quoi de plus simple et de plus complet !

Ceci dit, les plans de marketing doivent être simples et courts. S'ils ne le sont pas, ils seront difficiles à exécuter. Trois paragraphes suffisent. Le plan de marketing doit servir de guide. Il n'a pas besoin d'énumérer tous les détails. En fait, plus le plan de marketing est succinct, plus il sera facile à utiliser. C'est d'ailleurs celui qui aura été le mieux pensé.

Le positionnement

Le positionnement, c'est le fait de déterminer exactement quelle niche votre offre a l'intention de combler. Le positionnement réussi est celui qui comble un besoin que d'autres ne comblent pas.

Dans un marketing intelligent, le positionnement est encore plus méthodique. Il prend en considération votre offre par rapport à vos objectifs, vos forces et vos faiblesses, la compétition existante et anticipée, votre marché cible, les besoins de ce marché et les tendances de l'économie.

Voici les quatre questions principales que vous devriez vous poser pour savoir comment vous positionner :

- Quel est mon objectif ?
- Quelles sont mes forces ?
- Quelles sont mes faiblesses ?
- Qui sont mes concurrents ?

Ce n'est que lorsque vous aurez trouvé les réponses à toutes ces questions que votre positionnement sera plus facile à définir.

Comment procéder ?

Le marketing intelligent vous recommande de mesurer ce positionnement à partir de quatre critères :

1. Est-ce que mon produit ou mon service offre un avantage tangible à mon public cible, à un point tel que celui-ci en voudra vraiment ?
2. Génère-t-il un profit raisonnable ?
3. Me distingue-t-il de mon compétiteur ?
4. Est-il unique et difficile à copier ou à reproduire ?

À moins que vous ne soyez totalement satisfait de vos réponses, vous devez continuer vos recherches pour un positionnement approprié. Ce n'est que lorsque vous aurez trouvé les réponses à toutes vos questions que vous réussirez à établir un bon positionnement qui vous amènera à votre objectif. Cela prend beaucoup d'efforts de réflexion et celle-ci doit conduire à une pensée claire ; c'est la clé d'un marketing intelligent.

Les cinq facteurs clés

Le marketing intelligent va droit au but et simplifie toute la préparation. Voici comment procéder :

1. Le but

Définissez en une ligne seulement le but de votre entreprise ; par exemple : vendre le maximum de logiciels juridiques au plus bas coût possible.

2. Le marché

Définissez également en une ligne le marché cible ; par exemple : le marché cible sera les bureaux qui comprennent de un à cinq avocats.

3. Le positionnement

Établissez en deux ou trois lignes seulement comment cela peut être accompli ; par exemple : positionner les logiciels comme étant utiles pour les petits bureaux d'avocats, faciles à utiliser et pouvant leur économiser énormément de temps et d'argent. La nécessité principale d'avoir ce logiciel sera énoncée dans tout votre marketing. Mais surtout, il est important de spécifier pourquoi le produit a de la valeur et devrait être acheté. C'est l'énoncé du positionnement.

4. Les outils

Énumérez les outils qui seront utilisés dans votre marketing; par exemple : les outils de marketing qui seront utilisés seront une combinaison de lettres personnelles, de circulaires, de brochures, d'annonces sur des babillards de firmes d'avocats, de publicités dans le guide du barreau, de publipostage direct. En plus, des contacts téléphoniques directs avec des bureaux d'avocats seront effectués. Cependant, le cœur du marketing sera les présentations dans des hôtels. Le marketing sera intensifié par des représentants qui présenteront efficacement le produit ou le service. Trente pour cent des ventes seront alloués au marketing.

5. Les coûts

Clôturez le tout avec les coûts envisagés pour vos campagnes de marketing.

Le long terme d'abord

L'erreur la plus fréquente, c'est de ne pas regarder le long terme. Nous avons tous tendance à nous intéresser d'abord au court terme. Quoi de plus normal! Nous vivons dans un monde qui vit à un rythme effréné. Nous voulons tout vite et tout de suite. Il serait complètement faux de penser que, de nos jours, le long terme ne signifie pas grand-chose parce que nous vivons dans un monde très mouvant. Votre plan doit d'abord viser le long terme, puis le court terme. En regardant ce dont vous avez besoin au loin, vous pourrez comprendre ce dont vous aurez besoin à court terme. Cela s'appelle avoir une vision d'avenir.

Souplesse : un peu ? Beaucoup ?

Une autre erreur assez fréquente de nos jours : sous prétexte d'être modernes, accommodantes et souples, beaucoup d'entreprises travaillent sur un plan de marketing qui laisse beaucoup de flexibilité. Le plan de marketing doit certes allouer un peu de flexibilité, mais pas trop ! Le plan est fait pour être suivi. Il faut s'engager à le suivre. Il vaut mieux effectuer les changements avant qu'après. C'est pourquoi rien ne vaut une bonne préparation.

Et puis ?

Pour que vous appliquiez le marketing intelligent à fond, il faut que vous ayez non seulement un plan de marketing, mais également un plan de créativité. Il est aussi important, si ce n'est plus.

Ce que dira votre message publicitaire est plus important que le fait de choisir d'effectuer un message publicitaire. Le plan de marketing énumère les divers moyens à utiliser, par exemple : la création et l'envoi de messages publicitaires par courriel. Le plan créatif dicte votre approche, votre message, votre identité, votre image.

Dix vérités à ne pas oublier

Lors de votre préparation, il est fondamental de vous souvenir de ces 10 vérités qui existent depuis que le marketing est marketing.

1. Le marché change constamment : nouvelles familles, nouveaux styles de vie, nouvelles tendances qui changent les données du marché.
2. Lorsque vous cessez la promotion, vous n'êtes plus dans la course.
3. Les gens oublient vite, d'où la nécessité de la régularité en marketing.

4. Le marketing vous donne un avantage certain sur vos concurrents qui ont cessé le marketing.

5. Si vous interrompez le processus, vous perdez tout. Il vous faut tout recommencer à zéro. Il n'est jamais bon de cesser complètement le marketing à moins d'avoir décidé de quitter les affaires.

6. Les valeurs traditionnelles sont importantes : la courtoisie, l'honnêteté, la politesse et le respect doivent faire partie de la culture du marketing.

7. Sachez vous distinguer. Les personnes et les entreprises ordinaires n'apportent rien de plus à notre société d'aujourd'hui. Elles passeront inaperçues et le monde continuera à vivre sans elles.

8. Soyez là où les autres ne sont pas, car c'est là que se trouve votre niche.

9. Lorsqu'on veut faire du marketing, on se réveille de bonne heure. Vous n'êtes pas seul à vouloir bien faire les choses.

10. Dans tout ce que vous faites, il y a une dose de marketing : qu'il s'agisse de votre façon de vous habiller et de vous comporter ou d'honorer vos engagements, ou encore de répondre aux messages que vous recevez.

Les trois questions

Il existe trois questions qu'on vous posera partout, et auxquelles on pensera seulement lorsqu'on vous verra ici et là. Ces questions doivent faire partie de la stratégie de planification de tout entrepreneur et rester dans sa mémoire avec les réponses à donner en tout temps :

1. Que faites-vous ou que vend votre entreprise ?

2. Comment pouvez-vous aider mon entreprise ?

3. Combien cela coûte-t-il ?

Beaucoup de gens sont souvent incapables de répondre à ces questions de base, surtout dans des endroits comme les foires commerciales. Obtenir une réponse concernant les prix est souvent quasiment impossible. Inutile de dire que ce serait une expérience frustrante pour la personne qui se renseigne, même si elle n'a pas l'intention d'acheter au moment même. Elle n'aura plus le goût d'acheter. La plupart répondent tout de suite : « Visitez mon site Internet. » Alors que nous voulons souvent poser quelques questions spécifiques et avoir des réponses sur-le-champ.

Encore plus ... pour une planification réussie !

Beaucoup d'entrepreneurs sont souvent tellement enthousiastes au sujet de leur concept qu'ils oublient de penser aux solutions qu'ils peuvent apporter à leurs clients.

Chaque entrepreneur doit être capable de répondre aux huit questions suivantes, oralement ou par écrit :

1. Que faites-vous exactement ?
2. Qu'avez-vous fait à ce jour ?
3. Comment gagnez-vous votre vie ?
4. Qui sont vos clients ?
5. Comment vendez-vous vos produits ou vos services ?
6. Quelle est votre équipe ?
7. Quelle est votre compétition ?
8. Qu'est-ce qui rend votre entreprise différente des autres ?

Quelqu'un qui pratique le marketing intelligent s'assure d'inclure les réponses à ces questions dans sa préparation. Il s'assure surtout de les avoir en mémoire afin de les utiliser oralement ou par écrit à toute occasion qui se présente à lui.

La précision

Déterminez avec précision et exactitude ce qu'est votre offre. Évaluez les forces et les faiblesses de votre offre, vos concurrents, le marché cible, les besoins du marché, les tendances apparentes de l'économie, votre instrument servant à préparer une position appropriée.

Posez-vous les deux questions de base :

1. Dans quel domaine d'affaires suis-je ?
2. Quel est mon objectif ?

Lorsque votre pensée sera claire sur ces questions ainsi que sur les divers points précédents, votre positionnement sera plus facile à planifier.

Quatre critères additionnels

Voici quatre critères additionnels pour mesurer votre positionnement :

1. Mon produit ou service offre-t-il un avantage que mon client veut vraiment ?
2. Me distingue-t-il de ma concurrence ?
3. Est-il unique et difficile à copier ?

Il faut être complètement satisfait de tout cela, sinon il faut poursuivre les recherches.

Tels sont les secrets d'une planification réussie.

Principe 9

Toute préparation réussie doit inclure un bon plan de marketing avec un positionnement clair et répondre à une foule de questions, dont les réponses seront bien préparées à l'avance, de façon très précise.

COMMENT DÉVELOPPER
UN MARKETING CRÉATIF

La différence qui fait toute la différence !

Il n'est pas de marketing intelligent sans un marketing créatif. Ce dernier vous permet de vous distinguer dans chacun de vos outils de marketing. Il va leur apporter cette différence qui fait toute la différence et qui vous donnera une marque distinctive. Il est essentiel de l'appliquer à chaque aspect du marketing si vous voulez avancer et grandir. Le marketing créatif se reflète dans sa planification, dans votre façon de concevoir vos messages publicitaires, dans les relations publiques et dans bien d'autres situations encore. Il faut que ça vende ! Le but est de convaincre vos clients que tel produit ou tel service est différent, qu'il est le meilleur. Le marketing créatif va jusque dans le choix du public cible à convaincre, l'analyse de la personnalité du client cible, le ton de la publicité : naturel, honnête, chaleureux. Par exemple, dans un marketing créatif, pour convaincre les clients d'acheter un produit alimentaire quelconque, il faut énumérer les composantes de ce produit et ses bienfaits.

Pour bien réussir un marketing créatif, vous avez besoin de bien connaître votre produit ou votre service, votre compétition, votre marché cible, votre public, l'économie, les événements courants et les tendances du temps.

Voici comment vous pouvez appliquer le marketing créatif pour chacun de vos outils de travail. Essayez ces techniques. Les résultats pourraient vous surprendre, mais pas les dépenses, puisqu'elles ne nécessitent pas de frais supplémentaires qui vaillent la peine d'être mentionnés.

La carte professionnelle

Simplicité fait beauté, dit-on. Le marketing intelligent préconise la simplicité dans tout. La carte professionnelle ne fait pas exception. Bien au contraire, c'est l'outil de marketing par excellence et il doit être le plus simple possible pour attirer la sympathie générale. Elle ne doit surtout pas être chargée. Le titre est nécessaire. Pour appliquer le marketing créatif, et donc intelligent, une ligne sur les activités est fortement recommandée. Par exemple : *Conseils en affaires et marketing – Formation – Voyages promotionnels*. En plus d'exercer son rôle habituel, c'est-à-dire celui de vous présenter, votre carte professionnelle vous fournira une publicité gratuite. Cette publicité sans frais se répétera chaque fois que vous remettrez votre carte à quelqu'un, sans que vous ne déboursiez un sou. Elle est aussi permanente, puisqu'une carte est conservée par le client pendant plusieurs années. La carte ne doit pas dépasser la dimension du portefeuille, car elle trouvera difficilement sa place chez la personne à qui vous la remettrez.

Un soir, je me rendais dans un excellent restaurant. Je m'étonnais de le voir vide. Pourtant, en plus de son emplacement idéal, sa cuisine est un délice, son décor fort agréable, ses chaises, très confortables, à l'instar des meilleurs restaurants. De plus, ses prix sont raisonnables. Le directeur vint me saluer. Tout en discutant avec lui, je lui demandai comment il faisait son marketing. Il me tendit fièrement une pile de cartes professionnelles ayant trois fois la dimension des cartes ordinaires. Il me demanda de les distribuer. Je n'ai jamais pu mettre ces cartes ni dans mon porte-cartes ni ailleurs. Puisqu'elles étaient encombrantes, je m'en suis vite débarrassé. Beaucoup ont dû faire comme moi. Un ami chevronné en marketing qui m'accompagnait ce soir-là intervint. Il expliqua au directeur l'importance d'avoir une carte professionnelle de dimension standard, puisqu'il s'agit du fondement d'un marketing réussi. Le directeur ne sembla pas apprécier les commentaires de mon ami. Il est toujours difficile d'accepter les critiques, même lorsque l'erreur est cruciale.

Un bon nombre de personnes n'ont pas conscience de l'importance d'une carte professionnelle en tant que moyen publicitaire, pas plus que de l'importance de la rendre plus commerciale grâce à quelques petits détails auxquels il faut penser. Et pourtant, le coût est presque identique, mais l'utilisation sera différente et le résultat s'en ressentira. On pourra aussi y mettre un slogan. Par exemple : *Partenaire de l'excellence* ou *Partenaire de votre réussite*. Ou encore : *Partenaire en développement international*. Un institut pourrait y mentionner son approche personnalisée ou sa méthode d'enseignement rapide. Une entreprise de sécurité pourrait dire : « Votre sécurité est notre affaire » ou bien : « Votre sécurité fait notre succès. » Le slogan définit aussi la mission de l'entreprise. Toutes les avenues sont ouvertes. Tout dépend du nom de votre entreprise. Si le nom est assez explicite en ce qui concerne vos activités, vous n'avez pas besoin de répéter ce qui est déjà inclus dans votre nom. Mais si vous êtes un avocat spécialisé en droit des affaires et que vous vous appelez Antoine Dion, une carte professionnelle créative pourrait se présenter ainsi : *Antoine Dion, avocat, spécialisé en droit des affaires*. Si vous voulez montrer à vos clients potentiels votre côté distinctif, vous pouvez ajouter « Confiez-nous vos affaires. » Si vous êtes pharmacien, vous pouvez ajouter sur votre carte professionnelle où il est écrit *André Robert, pharmacien*, ce qui suit : « À vos petits soins. »

Votre carte professionnelle doit certes être simple, mais non pas sans intérêt. Évitez donc les caractères traditionnels noirs sur fond blanc. Presque tout le monde choisit le blanc.

Optez pour quelque chose de novateur et d'intéressant, sans que cela soit nécessairement coûteux. Vous pouvez, par exemple, ajouter une couleur, quelque chose de différent du noir sur blanc, c'est-à-dire une couleur qui représente votre entreprise, que vous utiliserez pour le nom de celle-ci, et pour son logo.

Faites de votre carte professionnelle votre outil de marketing principal.

Cette grande partie réservée aux cartes professionnelles montre l'importance qu'il faut donner à cet outil dans votre marketing, si vous voulez qu'il soit créatif.

Le papier à lettres

Le fait qu'Internet soit de plus en plus utilisé renforce l'impact des lettres que nous recevons, parce qu'elles sont devenues plus rares.

La lettre est un autre miroir de son auteur ou de son entreprise. Profitez-en pour donner la meilleure image de vous et de votre organisation. Ne lésinez surtout pas sur la qualité du papier. Optez pour des couleurs sobres et non pas éclatantes. Les couleurs blanc, beige ou gris sont habituellement recommandées. Le nom de l'entreprise doit être mis en évidence, en haut, de préférence au centre. Pour ne pas trop charger un côté de la page, l'idéal serait de mettre l'adresse en bas, sur deux lignes.

Mais comment le marketing créatif peut-il intervenir ici ? Les affiliations ou les adhésions aux associations professionnelles font partie de votre image. N'hésitez pas à les signaler sur votre papier à lettres. Par ailleurs, si vous œuvrez dans plusieurs villes, que ce soit à travers vos propres bureaux ou des correspondants sur place, il serait bon d'énumérer ces villes, sauf si vous avez certaines raisons de ne pas le faire. Rares sont les entreprises qui prennent soin d'inclure ces deux détails de grande importance.

Par exemple, un hôtel pourrait énumérer les hôtels affiliés en n'omettant pas de signaler leurs adresses. Bien entendu, cela pourrait être plus difficile dans le cas d'une grande chaîne hôtelière comprenant une centaine d'hôtels dans le monde. Toutefois, un hôtel affilié à une dizaine d'hôtels à l'échelle nationale pourrait bien profiter de son papier à lettres pour les annoncer. Bien d'autres exemples pourraient être cités. À chacun d'adapter cette idée à son propre contexte professionnel.

La brochure

La brochure est la star de l'entreprise. Quel que puisse être le développement technologique actuel et futur, la brochure demeurera toujours aussi populaire et aussi nécessaire, combinée au site Internet. Certaines entreprises, dans certains secteurs, appliquent le marketing intelligent de la belle façon. Elles publient deux ou même parfois trois brochures par an. C'est le cas des agences de voyage, des consultants en études à l'étranger, des voyagistes. La conception de la brochure est d'une grande importance. Les concepteurs doivent être très créatifs. Ce matériel, c'est la photo de l'entreprise et de ceux qui la représentent. Il doit donc les montrer à leur meilleur, en captant au maximum l'attention de leurs clients potentiels. La brochure fournit une idée générale de l'entreprise, de ses produits et services, ainsi que de ses moyens. Elle doit dire à tous que vous êtes gentil, fiable et fort. Elle doit *sentir* le succès. Elle doit surtout être novatrice. Le contenu, aussi bien que le contenant, sont d'égale importance. Ils doivent satisfaire les attentes des clients potentiels.

Ceci dit, il vaut mieux souvent ne donner la brochure qu'après la vente ou lorsqu'elle est demandée. C'est le cas des entreprises qui offrent des services très variés et qui doivent répondre à des besoins encore plus variés.

Mais comment appliquer un marketing intelligent et créatif à ce matériel de promotion généralement difficile à produire ? En d'autres termes, qu'est-ce qu'une brochure créative ?

Le premier élément d'une brochure créative, c'est le fait de la concevoir dans une forme qui permet d'y insérer des documents annexes. Cela permet à l'entreprise d'ajouter des informations mobiles. Un autre élément important consiste à attirer rapidement l'attention par une phrase qui résume la philosophie et la mission de l'entreprise. Elle doit être au début du document. Enfin, la brochure doit être simple et concise. Tenez compte des commentaires des autres, car ce sont vos clients qui devraient élaborer votre brochure et la renouveler chaque année. En effet, selon leurs commentaires et leurs réactions, vous pourrez construire une brochure intelligente et créative, susceptible de les attirer et de leur vendre vos produits et vos services. En d'autres termes, la créativité de la brochure se développera au gré des idées des clients, des tendances du marché et de l'évolution du monde.

Les circulaires

Les circulaires sont en elles-mêmes un outil de marketing créatif. Il s'agit d'une façon créative d'interpeller les clients potentiels. Peu d'entreprises s'en préoccupent. Si elles peuvent ne pas être utiles pour certaines, elles sont d'une efficacité sans pareille pour d'autres. J'en ai souvent fait pour mes clients. Appelées aussi tracts publicitaires, elles peuvent être distribuées de plusieurs façons :

– Par la poste, individuellement ;

– Par la poste, comme faisant partie d'un publipostage collectif ;

– Glissées sous la porte ;

– Remises en mains propres dans la rue ;

- Remises en mains propres dans les foires commerciales;
- Distribuées dans des endroits d'intérêt où les possibilités d'affaires se présentent;
- Remises à des clients;
- Placées dans des endroits où les gens peuvent les prendre;
- Placées sur des comptoirs pour distribution générale;
- Apposées sur des tableaux d'affichage.

Contenu et format: le plus simple, c'est de les imprimer d'un côté seulement. C'est un peu plus complexe de les imprimer des deux côtés. Le contenu doit se restreindre à de l'information: des faits seulement. Le style et la romance sont nécessaires. Le format doit représenter la moitié d'une feuille standard 8½ par 11. Il est recommandé de choisir une couleur claire ou encore le blanc. Ici aussi, le marketing intelligent préconise la répétition. On peut changer de couleur lors de chaque campagne promotionnelle.

Les pages jaunes

Le marketing intelligent et créatif cherche à tirer le meilleur profit des pages jaunes. Il utilise cet outil publicitaire non seulement pour ses recherches en marketing, mais aussi pour y placer éventuellement une publicité créative. Une personne qui pratique le marketing intelligent et créatif loue habituellement un quart ou une demi-page pour sa publicité dans les pages jaunes. Elle s'assure surtout de ne jamais faire mention des pages jaunes dans ses autres annonces publicitaires. Certaines entreprises ajoutent dans leur annonce: «Vous nous trouverez dans les pages jaunes.» En le faisant, elles invitent leurs clients potentiels à aller regarder qui sont leurs concurrents!

Le nom de votre entreprise

Le nom de votre entreprise est très important, si ce n'est le plus important. Il faut qu'il soit court et évocateur, pour qu'on s'en souvienne. Si vous utilisez déjà un nom, mais que vous souhaitez améliorer son sens évocateur sans le changer, rien de plus simple : ajoutez-y une petite explication et le tour est joué ! Les gens pourront utiliser cette deuxième formule, plus simple pour eux, pour penser à vous. Mieux encore, cette dernière renforcera l'autre et les gens pourront se souvenir des deux. Par exemple : *Couche pas, le dépanneur du coin*. Les gens pourraient se souvenir du dépanneur du coin ou de couche pas, ou des deux, une partie renforçant l'autre.

Le bouche à oreille

Ce qui semble être le bouche à oreille est en réalité la combinaison de plusieurs choses à la fois : publicité dans les médias, publipostage, marketing par téléphone, etc. Mais c'est le bouche à oreille qui obtient le mérite et non pas les médias. Que de fois entend-on dire : « Ah oui, j'ai entendu parler de cela. Je ne me rappelle pas au juste où. »

Le marketing créatif n'attend pas que le bouche à oreille résultant des divers efforts de marketing circule. Il le provoque où qu'il soit, à chaque occasion. Il crée des possibilités : rencontres entre amis, réunions familiales, rencontres professionnelles, etc. Il fait circuler l'information.

La publicité dans les médias

Dans bien des secteurs, ce serait se leurrer de penser qu'on peut réussir sans publicité dans les médias. Ceux-ci offrent tout un éventail de choix pour toutes les bourses. On a souvent en tête que les publicités dans les médias peuvent ruiner. En fait, tout est dans la manière de faire les choses. Les annonces classées sont souvent d'une efficacité incroyable. Dans un marketing intelligent où on applique le marketing créatif, on considère sérieusement les annonces classées. La créativité se situe essentiellement sur le plan du texte, mais aussi en ce qui a trait à la touche qu'on lui donne. Par exemple, on peut commencer son texte avec sept étoiles (*******). Il s'agit là d'un symbole assez significatif, qui attire l'attention des lecteurs. La première phrase doit être très puissante. Elle doit presque tout dire. Elle doit exprimer les besoins du consommateur. Elle doit surtout refléter le côté créatif. Cela veut dire que l'argument de vente le plus fort de l'entreprise, celui qui exprime son côté le plus innovateur, doit être mis à l'avant. La publicité doit se terminer sur une note très dynamique et pressante qui appelle à l'action.

À plusieurs reprises, j'ai voulu économiser de l'argent et faire le malin en arrêtant la publicité dans les médias. Malgré le fait que nous avions une banque importante de clients potentiels et une excellente réputation, le téléphone cessait de sonner en pleine saison. Aussitôt que je reprenais les publicités, les appels reprenaient.

Placer six petites ou moyennes pubs, au lieu d'une grande, dans un numéro de magazine fait partie d'un marketing intelligent, créatif.

Le faire-part d'une réception

Le faire-part du mariage de Winston Churchill se réduisait à une ligne: «Nous avons le plaisir de vous annoncer que Winston Churchill va épouser Clementine Hozier.» La créativité est faite de simplicité.

Créer ou disparaître

Il existe deux types d'entreprises: celles qui créent et innovent et celles qui ne créent ni innovent et qui, enfin, disparaissent.

Il était une de fois, dans une région de France, un professeur de sport d'une cinquantaine d'années, fort, dynamique et ambitieux. Il travaillait dans un centre de vacances qui accueillait des jeunes en été, en provenance surtout de l'Afrique et du Moyen-Orient. Les tarifs des séjours au centre étaient très bas. Son salaire aussi. Le centre arrivait à peine à survivre malgré vingt années d'existence. C'était vers la fin des années 1980. Ce professeur trouvait que son patron n'innovait pas et que le centre pouvait bien mieux faire. À quelques pas de son lieu de travail, il y avait un beau château situé dans un parc de cinq hectares. L'enseignant ne rêvait pas de l'acheter pour y vivre. Il n'en avait d'ailleurs pas les moyens. Il se renseigna quand même au sujet de ce beau château, car il avait un projet en tête. Il apprit qu'il s'agissait d'un monument classé historique. Il prit rendez-vous avec le député de la région et alla lui rendre visite. Il lui exposa son idée. Il souhaitait en faire un camp de vacances pour les jeunes du monde entier. La ville accepta de lui vendre le château à 10 millions de francs français sans intérêt, payables à raison de 1 million de francs français par an, l'équivalent d'environ 150 000 euros par an.

Le château comprenait une soixantaine de chambres et chacune pouvait accommoder une ou deux personnes. Il y avait aussi une piscine et des terrains de sport. L'enseignant était conscient qu'il fallait agir vite pour rentabiliser son affaire et être en mesure d'acquitter son hypothèque annuelle. Il se mit vite au travail et choisit une approche simple, mais efficace. Il savait déjà comment il voulait faire les choses. Il venait de vivre l'échec du centre dont il venait de démissionner et, dans ses oreilles, il entendait encore le rire de son ancien patron. Ce dernier était presque sûr d'avoir tout essayé de son côté et se demandait comment son ex-enseignant allait pouvoir mieux faire. Le professeur de sport élabora soigneusement un court dépliant publicitaire qui expliquait et montrait par des photos le concept de son camp de vacances. Il proposait des cours de français, mais aussi des cours de rattrapage en mathématiques, dans un environnement superpersonnalisé et exceptionnel. Il évoqua surtout, dans sa brochure, le fait d'apprendre aux jeunes une méthode de travail. Toute une panoplie d'activités et de sports étaient offerts. Bien évidemment, il était un grand spécialiste dans ce domaine et il mettait bien en évidence cet aspect dans sa brochure. Il expliqua également de quel type d'hébergement il s'agissait, en chambre privée ou semi-privée, et non pas en dortoir, comme cela se faisait dans presque tous les camps de vacances à travers le monde. Les repas consistaient en des buffets composés de plusieurs plats variés. Enfin, ses tarifs étaient parmi les plus élevés dans l'industrie, reflétant ainsi l'excellente qualité de l'ensemble de ses services. Il prit l'avion et se rendit au Canada, aux États-Unis, puis au Moyen-Orient pour effectuer la promotion de son nouveau centre. Il remit quelques dépliants à sa fille qui étudiait en Espagne. Celle-ci les distribua dans son école. Il fit quelques petits déplacements en train à travers l'Europe. Quelques mois plus tard, son centre était rempli pour tout l'été. Il ne désemplissait jamais par la suite. Cent vingt personnes de 85 nationalités différentes s'y retrouvaient chaque été. Les listes d'attente se faisaient chaque année de plus en plus longues. Le succès était phénoménal. Quinze ans plus tard, son château et son affaire ont été évalués à près de cinq millions d'euros, soit deux fois et demie la valeur initiale. Entre-temps, l'autre centre avait disparu dès la première année d'exercice. Le professeur de sport, quant à lui, continue d'innover. Pour augmenter ses profits, il loue ses installations durant l'année aux entreprises, à l'exception des mois de juillet et d'août. Celles-ci y effectuent leurs réunions annuelles et leurs séminaires de formation.

Il s'agit là d'un bel exemple réel d'une réussite issue de la créativité et de l'innovation. Là où le directeur du premier centre ne trouvait plus d'idées pour mieux faire, son enseignant en trouva une qui lui offrit des possibilités inestimables. Nul doute qu'un concept intelligent qui est bien mis en œuvre est toujours gagnant.

Créer un programme

Le secteur pharmaceutique a développé au fil des ans des approches très créatives qui lui ont valu une santé financière non négligeable.

À titre d'exemple, une société pharmaceutique a développé tout un programme de marketing en ce sens, bien pensé. Elle effectue la promotion de ses médicaments pour la tension artérielle auprès de médecins généralistes. Le patient a droit à un paquet de ces pilules sans frais. Il remplit un questionnaire pour recevoir en cadeau un appareil pour vérifier sa tension. En le faisant, il s'inscrit à ce que la société pharmaceutique appelle un *Programme de soutien aux patients*. Après quoi le marketing continue. Le patient reçoit régulièrement un bulletin du *Programme de soutien*, accompagné de conseils et d'informations visant à soigner son hypertension. Les documents qui lui sont envoyés comprennent une lettre personnalisée accompagnée du bulletin en question. Chaque numéro présente divers articles instructifs, ainsi que des suggestions et des conseils portant sur un certain nombre de sujets essentiels, notamment : des renseignements sur l'hypertension et sur le médicament que le patient prend, les recommandations et les interdictions relatives au traitement, des conseils sur l'alimentation, sur la forme physique et l'exercice, sur la gestion du stress et sur les façons d'arrêter de fumer.

Les cartes de recettes appétissantes (mais faibles en sel et en matières grasses) qui sont jointes aux documents constituent une autre facette du programme. Une boîte gratuite pour les conserver est fournie.

Il s'agit d'un programme d'accompagnement qui encourage le patient à suivre son traitement pour parvenir à contrôler sa tension et surtout à réduire son stress le plus possible.

Tous les outils de la société pharmaceutique en question sont fournis gratuitement et uniquement aux personnes prenant son médicament pour l'hypertension.

Pour couronner le tout, le patient est invité à poser les questions qu'il souhaite au sujet de son état de santé.

Il s'agit là d'un marketing très créatif et très puissant. Il combine un humanisme extraordinaire digne de la profession et un sens commercial aigu, digne des plus grands en marketing !

Vous aussi, peu importe votre champ d'activités, pouvez créer votre propre programme de marketing. Il suffit qu'un tel programme réponde aux attentes de vos clients, mais surtout, qu'il soit créatif !

Construire un potentiel

Mais le marketing intelligent et créatif va au-delà du développement de ce qui est existant. Il vise à construire un potentiel. Il sait que, dans un climat économique difficile, ce qui est existant peut disparaître. Certes, dans les temps ordinaires, la qualité et le rapport qualité-prix ont toujours été le moteur de la plupart des industries. Cependant, dans une période économique critique, un troisième facteur est aussi important : l'innovation.

La plupart des activités commerciales ont des périodes de haute saison et de basse saison. La plupart sont aussi vulnérables aux facteurs externes.

Par exemple, l'industrie touristique subit les effets des guerres. Il en résulte que beaucoup de clients sont réticents à voyager à l'étranger au cours de ces périodes. Un agent de voyages créatif essaiera d'attirer le plus possible une clientèle d'affaires. Cette dernière doit répondre à des obligations professionnelles à l'étranger et n'a le plus souvent d'autre choix que de se déplacer. Il lui proposera aussi des forfaits vacances vers les destinations les plus sûres. Il pourra aussi promouvoir des forfaits vacances à l'intérieur du pays. Il pourra également offrir des forfaits sur mesure ou des forfaits thématiques.

Un des agents de voyages que je connais propose à des gens d'affaires des croisières de luxe et des programmes de chasse et de pêche. Un autre propose à des citoyens originaires de son pays des voyages culturels visant à visiter leur patrie et à y découvrir son histoire. Il a soumis ce programme à une association de son pays, dans la région où il habite. Celle-ci possède des ramifications dans plusieurs villes à travers le monde. Elle a fait parvenir l'information à tous les secteurs en question, ce qui a attiré à cet agent des clients à l'échelle internationale, tout en restant assis dans le confort de son bureau. Un autre développe surtout le marché des billets d'avion à destination de son pays d'origine, offrant ainsi à sa clientèle des prix très intéressants. Avec le temps, l'agent de voyages a réussi à attirer presque toute la communauté de son pays natal et à se bâtir un empire grâce à ce créneau. Les clients de sa communauté culturelle visitent chaque année leur pays d'origine. Les gens d'affaires font le trajet plusieurs fois durant l'année. Tous achètent leurs billets d'avion chez lui.

Dans une industrie saisonnière telle que celle des voyages linguistiques, les agences qui ratent leurs affaires une saison risquent d'attendre jusqu'à l'année suivante pour récupérer leurs pertes, sauf s'ils sont innovateurs et qu'ils recherchent des moyens pour attirer davantage de clients tout au long de l'année. Ils proposent donc de nouveaux programmes à leurs clients : par exemple, des cours de cuisine en France ou en Italie, de l'aide concernant l'admission à l'université moyennant des honoraires, une année scolaire à l'étranger pour les élèves du secondaire, des stages de travail à l'étranger pour les jeunes, des séjours en famille à l'étranger à n'importe quel moment de l'année pour apprendre la langue et la culture du pays, des séminaires de formation hors frontière pour les professionnels, etc.

L'histoire du professeur de sport évoquée dans la section précédente est le plus bel exemple concernant le fait de construire un potentiel.

Tous les experts en marketing conviendront du fait que le marché connaîtra toujours des hauts et des bas, mais il existe des stratégies que les entreprises peuvent utiliser dans leurs efforts de marketing pour améliorer continuellement leur fonds de roulement.

La concurrence de plus en plus vive exige dc la part des entreprises d'explorer diverses possibilités de revenus qui les aideront à maximiser leur potentiel d'affaires, leur assurant ainsi des rentrées de fonds tout au long de l'année et par conséquent durant les périodes creuses typiques.

Pour ce faire, il est essentiel de cibler de nouveaux secteurs d'activités adaptés aux goûts et aux tendances des consommateurs avisés d'aujourd'hui, en plus d'offrir des escomptes à certaines périodes de l'année.

Certains, même s'ils sont des joueurs dominants dans leur marché, sont forcés d'étendre leurs activités à l'extérieur du pays pour assurer la viabilité de leur entreprise, à moyen et à long terme.

Poursuivre une politique de diversification intelligente

Le marketing créatif inclut donc le fait de continuer à développer la gamme des produits et à trouver de nouveaux partenaires et de nouveaux créneaux.

Les coûts

Les coûts demeurent une préoccupation centrale. Tout effort de créativité ne doit pas faire dérailler les coûts. Au contraire, la base du marketing créatif est de fournir un marketing cérébral et non pas un marketing qui se sert de la caisse.

Les prix

Faut-il offrir de meilleurs prix lors de crises? En fait, le marketing créatif a pour but d'éviter cela. Il vise à permettre à l'entreprise de poursuivre sa croissance en comptant sur les effets positifs de la créativité plutôt que sur des mesures incitant à la baisse des prix.

Le millionnaire aujourd'hui

Autrefois, un millionnaire était quelqu'un qui avait un million de dollars. Aujourd'hui, un millionnaire n'est pas celui qui a un million de dollars. Il n'est pas non plus celui qui possède des immeubles. Le million peut s'effondrer. Les immeubles peuvent ne pas se vendre. Il est celui qui a des idées. Pas n'importe quelles idées. Des idées concrètes qui font travailler son argent ou travailler son esprit pour gagner de l'argent et savoir le gérer.

Le symbole de la nouvelle richesse, c'est le marketing intelligent. Mais il ne suffit pas d'avoir une idée pour devenir riche. Il faut du travail. Comment, durant la crise des industries, certaines passent-elles le cap alors que d'autres s'effondrent du jour au lendemain? C'est tout simplement parce que, dans la majorité des cas, celles qui ont survécu ont su innover, créer de nouveaux produits et des services intelligents, alors que les autres sont demeurées passives.

S'associer aux autres

Trouver des gens avec qui vous pouvez vous associer pour la commercialisation, par exemple en vue d'une exposition à une foire commerciale, fait aussi partie du marketing créatif. Les avantages que vous pouvez tirer d'un tel partenariat sont multiples. D'une façon générale, vous réduisez vos coûts de promotion et vous partagez avec votre partenaire des idées, ainsi que des informations qui pourraient s'avérer utiles pour vos affaires.

Carte de fidélité, points de récompense : le cumul des points !

Les cartes de fidélité, les points de récompense et les autres outils similaires sont des programmes de fidélisation qui s'associent également parfaitement bien au marketing créatif. Ce sont des idées qui ont fait leurs preuves. Elles ont bien réussi et continuent de connaître du succès. Tous ces outils sont fort appréciés par les consommateurs. L'objectif est d'établir une relation commerciale avec le client. Celui-ci peut bénéficier d'escomptes en cumulant des dollars sur l'achat de produits signalés en magasin. Il réalise des économies souvent substantielles qui l'encouragent à consommer davantage, mais surtout à demeurer fidèle.

Les prix *abusivement bas* tuent le marketing

Il n'est de pire ennemi du marketing créatif que les prix abusivement bas. Cette tactique est habituellement utilisée par ceux qui n'ont pas la possibilité de mettre en œuvre un plan de marketing intelligent. Le plus souvent, on voit ces entreprises fermer leurs portes quelque temps après.

Grâce au marketing intelligent et créatif, vous pouvez éviter ce genre de situations qui mènent la plupart du temps tout simplement au désastre.

Plus de valeur aux produits et services

Le marketing intelligent et créatif, c'est celui qui donne plus de valeur aux produits et aux services au lieu de céder à la tentation de baisser les prix par rapport aux concurrents. En fait, le marketing intelligent et créatif cherche toujours à plaire à sa clientèle et à la surprendre. Sinon, il perdrait son caractère créatif et échouerait dans sa mission. Dans un marketing intelligent et créatif, votre produit ou service doit présenter une foule d'avantages attrayants. Par exemple, les cartes de crédit rivalisent en avantages. Chacune essaie d'offrir une assurance encore plus performante que l'autre et des programmes de récompense plus attrayants les uns que les autres. C'est cela la grande force d'un marketing intelligent.

Par exemple, une carte de crédit offre une assurance contre le bris d'un objet. Une autre carte de crédit récompense ses clients par un voyage de trois jours à une destination de vacances à l'obtention de 50 000 points, par exemple. Une troisième nous propose de consolider nos dettes de diverses cartes de crédit en un seul compte à un taux très réduit, etc.

Dans le domaine des télécommunications, un secteur de plus en plus compétitif, c'est la course aux idées créatives visant à donner plus de valeur aux produits et services et par conséquent plus d'avantages aux clients, pour éviter de les perdre au profit de leurs concurrents. Alors, l'un offre un service mensuel à frais modiques à ses abonnés, leur permettant de faire appel à ses services en cas de panne. Un autre mise sur des tarifs interurbains très concurrentiels. Un troisième offre un accès gratuit ou des tarifs réduits de navigation sur Internet, combinés à un montant minimum d'appels interurbains par mois. La créativité dans ce domaine est sans limites.

Les tendances

Enfin, le marketing créatif suit les tendances. Par exemple, il crée des produits amusants ou macabres, suivant les occasions, pour les enfants et les adolescents. Les jeunes adorent! Par exemple: pour la fête de l'Halloween, des confiseries en forme de sorcière et de dents de vampire. Il y a également les chocolats dans lesquels on trouve des jouets surprises.

Les tendances sont aussi liées à la vision. Le marketing créatif anticipe les besoins. Par exemple, il y a plus d'un quart de siècle, les hamburgers étaient à l'apogée de la restauration rapide. Des visionnaires ont pensé que le marché évoluerait vers les sandwiches puisque les consommateurs recherchent toujours d'autres façons plus variées, plus créatives et aussi plus rapides de manger sur l'heure du midi. C'est un spécialiste français qui me l'avait dit, quatre ans avant que le phénomène ne survienne. Il l'avait prédit. Je n'avais nullement conscience de son importance. Aujourd'hui, la culture des sandwiches est bien ancrée dans nos habitudes de repas du midi. Les prêts-à-manger ont proliféré partout dans le monde. La formule de la restauration rapide des hamburgers fait figure de vieux jeu, d'un siècle dépassé. Depuis quelques années, les sushis prennent leur place eux aussi. Les tendances évoluent. Dans un marketing créatif, il faut les anticiper et les mettre en place.

Tout pour attirer les clients

Le marketing intelligent fait tout pour attirer les clients et répondre à leurs attentes. Le marketing créatif n'a pas de limites.

Par exemple, un hôtel qui fournit une gardienne pour les enfants pratique le marketing créatif. Il attire les familles ayant des enfants.

Un restaurant qui s'assure d'avoir une chaise haute pour les enfants, du papier à dessin et des crayons de couleurs pratique également le marketing créatif.

Une chaîne de restauration rapide qui offre des jouets aux enfants avec le forfait repas pratique aussi le marketing créatif.

Divers types de promotions
qui ciblent diverses personnes

Le marketing créatif valorise divers types de promotion pour cibler diverses populations : population vieillissante, population enfantine, population adolescente, etc.

Pour assurer un marketing créatif, il faudra se poser des questions intelligentes en rapport avec la population ciblée.

S'il s'agit de la population vieillissante, la question fondamentale qu'il faut se poser est la suivante : que cherchent les aînés dans les produits et services de consommation ? La réponse est bien évidente : confort et sécurité. Il faudra donc baser tout plan de marketing visant les aînés sur cette réalité.

Mais le marketing intelligent pousse la réflexion plus loin pour gagner le cœur des aînés. Il réalise que chacun de nous garde son cœur d'enfant, quel que soit son âge ! À la nécessité du confort et de la sécurité s'ajoutent la recherche du plaisir, de l'aventure, de la connaissance, de la qualité, de l'exotisme, du service personnalisé et fait sur mesure. Il s'assurera donc d'inclure tous ces ingrédients dans son offre. Un marketing intelligent et donc créatif tient également compte des nouvelles données sociales. Les aînés se considèrent toujours quelques années plus jeunes qu'ils ne le sont, habituellement une dizaine d'années plus jeunes ! Il ne faut donc pas avoir dans une publicité pour des aînés de 70 ans un acteur de 70 ans, mais de 60 ans. Un marketing intelligent et créatif qui s'adresse aux aînés s'assurera que tout matériel écrit qui leur est adressé, tel qu'un guide d'utilisation ou un document d'information quelconque, contient des textes écrits en gros caractères.

Dans un tout autre contexte, pour vendre la Suisse aux Britanniques, les Suisses ont dû miser sur l'image de leurs montagnes et non pas sur l'organisation, la propreté, la ponctualité, car ce n'était pas cela que recherchaient les Britanniques, mais plutôt ce qu'ils n'avaient pas chez eux.

Ainsi, toute forme de créativité dans une campagne de promotion doit être conçue selon le public cible et offrir à celui-ci un élément distinctif attrayant. Sinon, elle risque d'être mal comprise et de perdre tout son impact créatif.

Le marketing aimable

Au cœur du marketing créatif se trouve le marketing aimable. Il constitue la philosophie même du marketing créatif. Car, si créatif que puisse être un marketing, il risque de perdre son âme sans une dose suffisante d'amabilité. De plus en plus, les clients de tous âges sont sensibles au marketing aimable. Il est donc essentiel d'en tenir compte dans tout marketing visant à être intelligent et créatif. Soyez donc le plus gentil possible. Plus vous le serez, mieux on vous distinguera. La gentillesse ne coûte rien, mais elle vaut beaucoup.

Le facteur français qui se présente aux élections présidentielles

Le fait de se distinguer demeure au cœur même du concept de la création. Voici un exemple qui en témoigne.

En 2002, un facteur s'est présenté aux élections pour la première fois en France, pays où les Présidents de la République sortent toujours des grandes écoles. Il a obtenu environ 3,5 % des voix, ce qui n'était pas négligeable, comparé à plusieurs autres plus connus qui avaient obtenu le même score ou un peu moins.

Comment s'était-il distingué?

Il avait tout simplement appliqué, volontairement ou involontairement, le marketing intelligent et créatif. Tout simplement en se présentant comme à l'extrême gauche et comme quelqu'un du peuple qui allait éventuellement gouverner son pays et comprendre les besoins des gens.

Des idées d'entreprises qui réussissent

Une entreprise de livraison de menus de restaurants et de restauration rapide a eu l'idée d'envoyer à ses clients une belle carte postale lors de son cinquième anniversaire. À l'endos de cette carte, il était écrit ce qui suit : «Juste un petit mot pour vous rappeler que vous pouvez toujours compter sur nous pour tous vos besoins de livraison à domicile.» La carte était signée par l'équipe de livraison et donnait droit à un rabais de cinq dollars. L'adresse de l'entreprise se trouvait tout en haut de la carte avec le numéro de téléphone en caractères gras. Du côté droit de la carte, où se trouvent les lignes pour écrire l'adresse du destinataire, l'entreprise avait bien veillé à écrire mon nom et mon adresse. En dessous se trouvait le nom de l'entreprise de livraison, son logo et la mention cinquième anniversaire. Voici un marketing intelligent, très créatif et très personnalisé.

Une grande chaîne de magasins établie depuis plusieurs années remet à ses clients des coupons de un dollar émis par elle et remboursables en marchandise uniquement à ses magasins. Cela aussi, c'est du marketing intelligent et créatif. Il permet une fidélisation de la clientèle.

Un organisme gouvernemental qui fournit des services aux PME distribue une petite carte invitant les personnes à composer son numéro de téléphone pour se renseigner sur les services qu'il offre aux PME. Il s'agit là d'un autre exemple de marketing intelligent et créatif. Il invite à l'action pour que les personnes intéressées téléphonent.

Lors d'un de mes séjours d'affaires dans un grand hôtel, je remarquai, avant de me coucher, une jolie carte avec un petit ruban en or. Sur cette carte, il était écrit ce qui suit : «Cher M. Aoun, il me fait plaisir de vous souhaiter une bonne nuit. Si je puis vous être utile en quoi que ce soit, s'il vous plaît n'hésitez pas à appeler.» En haut, au centre de la carte, se trouvait le logo de l'hôtel bien en évidence, couleur or. Au bas de la carte, au milieu, on pouvait lire le nom du directeur général qui avait signé. Quoi de plus créatif et de plus personnalisé! Le directeur général d'un grand hôtel de 800 chambres prenait la peine de me dire bonne nuit personnellement et signait sa carte! Voilà un marketing extrêmement fort, intelligent et peu dispendieux.

Un autre grand hôtel où j'avais séjourné, une fois, m'envoyait chaque année une carte de vœux pour mon anniversaire. Il était le premier à le faire. La carte me parvenait toujours la veille de mon anniversaire. Je ne reçois plus cette carte depuis que j'ai déménagé, mais je me souviens toujours de cet hôtel. J'y séjournerai encore lorsque je me trouverai dans la ville où il se trouve. Voilà du marketing intelligent! C'est un marketing agréablement audacieux, aimable, créatif, efficace, distinctif, innovateur, relax, surprenant... Il possède l'art de se rendre inoubliable. Il dit à ses clients: «Je vous aime, je suis là pour vous, je veux vous séduire, je veux vous laisser le meilleur souvenir de moi.»

La plupart des entrepreneurs et des dirigeants de PME sont trop occupés pour consacrer du temps à un tel marketing, pourtant tellement efficace et si peu coûteux, comparé à bien d'autres moyens.

Faites quelque chose de différent. Soyez créatif. Les gens oublient peut-être votre nom, mais se rappellent ce qui est si spécial.

Qu'on se souvienne de vous!

Je me trouvais, une fois, en voyage d'affaires à Oman, une ville située dans le golfe Persique. À mon arrivée à mon hôtel, le premier soir, je déposai mes valises dans ma chambre et m'en allai visiter le bel hôtel dans lequel je me trouvais. Je descendis jeter un coup d'œil à la discothèque située au rez-de-chaussée. À côté se trouvait un charmant petit café plein de gens qui consommaient un apéritif. Non loin se trouvait un bassin d'eau entouré de plantes. Sans m'en rendre compte, je tombai dedans. J'étais trempé jusqu'aux genoux. Il y eut un éclat de rires et des applaudissements. J'étais un peu gêné. Je me disais que j'aurais été bien plus à l'aise avec un maillot de bain qu'avec mon complet et ma cravate. Je m'éclipsai dans ma chambre. Le lendemain, je descendis à nouveau au même endroit. Je regardai comment j'avais pu glisser la veille dans ce bassin. Je trouvais celui-ci fermé partout par des plantes. Je ne comprenais pas comment j'avais pu me frayer un chemin entre les plantes et tomber. Le serveur s'approcha de moi avec un sourire malicieux. Il devina ma curiosité. Il m'expliqua que plusieurs personnes étaient tombées avant moi dans ce bassin et que chaque fois que cela se produisait, le patron faisait placer une plante à l'endroit où cela arrivait. Il restait un petit trou. Le patron n'avait pas jugé nécessaire d'y mettre une plante. Le serveur le lui avait fortement suggéré. Il aura fallu que je glisse pour que le patron mette la dernière plante autour du bassin. Je m'amusais à raconter cette histoire aux gens d'affaires que je visitais là-bas, si bien que l'histoire fit le tour de la ville. Une dizaine d'années plus tard, la filiale américaine d'une institution financière européenne me nomma comme consultant en marketing. Je contactai les gens d'affaires que j'avais connus dans cette région du golfe Persique. Je leur demandai s'ils se souvenaient de ma visite dans leur ville. Chacun d'eux me disait la même chose en riant : « Bien sûr que l'on s'en souvient, vous êtes le jeune homme qui est tombé dans le bassin d'eau ! » Cette aventure avait donc servi à quelque chose. Elle m'avait permis de me distinguer, de me rendre inoubliable. Sur le plan du marketing, il s'agissait sans doute d'un bon coup, puisque l'accueil que chacun de mes interlocuteurs me réservait était très chaleureux et coopératif.

Une histoire extraordinaire de marketing intelligent et créatif

J'ai lu quelque part, dans un magazine, qu'un propriétaire de restaurant hélait chaque jour un taxi et faisait un petit tour avec lui, tout en parlant sans arrêt de son nouveau restaurant. Il se faisait déposer à la porte de son restaurant et donnait au chauffeur un gros billet comme pourboire, ainsi qu'une invitation pour venir manger avec lui. Il utilisa cette tactique originale durant une année. À la fin, les taxis stationnaient leur voiture sur trois rangées à l'extérieur du restaurant. Chaque chauffeur de la ville connaissait sans hésitation la réponse à la question : « Savez-vous où se trouve un bon restaurant pas très cher par ici ? »

Une carte de vœux avant les autres

Depuis 20 ans, j'ai le même comptable. C'est un homme qui a bien réussi dans les affaires. Son marketing est simple, mais très puissant et très professionnel. Il m'est difficile de l'oublier même si je le souhaite parfois. Une fois par an, il m'invite au restaurant. Chaque année, aussitôt que le mois de décembre se pointe, je reçois une carte de vœux de lui. C'est la première que je reçois chaque année. De temps en temps, il me passe un coup de fil et se renseigne à mon sujet. Et pourtant, je ne figure pas parmi ses gros clients. J'ai quand même droit à un service très personnalisé. C'est ainsi qu'il fait son marketing avec tous ses clients. C'est cela son investissement en marketing. Ses clients lui sont fidèles depuis 20 ans.

Créer son propre parfum

Un magasin a eu l'idée de proposer à ses clients de créer leur propre parfum sur-le-champ. Il offre aux clients une sélection d'ingrédients parmi lesquels ils peuvent effectuer leur choix, mélanger leurs ingrédients favoris et faire ressortir un parfum personnel auquel ils peuvent le mieux s'identifier. Il s'agit là d'une idée unique, spéciale, différente, qui donne à chacun une identité distincte. C'est encore cela le marketing intelligent et créatif.

Concours dans les foires commerciales

On voit souvent des entreprises entreprendre des concours lors de salons. L'idée en elle-même n'a peut-être rien d'extraordinaire.

Toutefois, une compagnie aérienne qui vous invite à remplir son coupon de participation et qui vous aide à répondre correctement aux questions dans le coupon pour gagner un billet d'avion aller-retour avec 2 nuitées dans sa ville, c'est du marketing créatif. Car il ne suffit pas de fournir les bonnes réponses, il faut être chanceux lors du tirage. Une hôtesse au stand vous invite à remplir le coupon avec elle. Vous jetez un coup d'œil sur ces questions. Il n'y en a que quatre qui ont l'air simple. De plus, vous êtes rassuré par le fait que l'hôtesse va vous aider à y répondre correctement. La première idée qui vous vient est que vous allez ainsi pouvoir gagner le prix tout de suite. Les questions sont toutes conçues pour attirer votre attention sur la compagnie aérienne et la ville d'où provient la compagnie. Vous vous rendez compte à la fin qu'il y a un tirage et que par conséquent le fait de gagner ne dépend que de la chance.

Il s'agit là d'un bon exemple d'un marketing intelligent et créatif. D'une part, la compagnie aérienne et la ville en question réunissent leurs efforts de marketing dans un projet de grande visibilité, diminuant ainsi énormément leurs coûts, et, d'autre part, le concept attire beaucoup de monde parce qu'il nourrit l'espoir d'un gain facile et rapide.

Un comptable édite un journal sur la fiscalité

Un comptable, qui en était à ses débuts, se demandait comment se faire connaître dans un marché rempli de comptables expérimentés. Il décida d'écrire un bulletin dans lequel il fournissait des informations sur la fiscalité. Il le publia et le distribua gratuitement tous les trois mois. Il établit ainsi sa notoriété et put se lancer en affaires. Ce comptable enseignait à l'Institut de gestion et de langues que j'avais fondé au Québec. Les étudiants appréciaient beaucoup son enseignement. Quelques mois plus tard, il me prévint que son cabinet avait vite grandi et qu'il devait s'occuper de sa clientèle, qui était devenue considérable.

Des transporteurs à rabais et des clients au septième ciel!

De nouveaux transporteurs prennent le ciel alors qu'on parle de crise de l'industrie aérienne et ils réussissent! Ce sont les WestJet et CanJet au Canada, JetBlue et Southwest aux États-Unis, Ryanair et EasyJet en Europe. Ils ont tous la faveur des voyageurs. Le logo du transporteur aérien Jetsgo est un bonhomme sourire. Quoi de plus créatif! Il s'agit du sourire des clients, qui paient un prix dérisoire pour voler avec Jetsgo. Alors que l'industrie du transport aérien pique du nez, voici un transporteur créatif dont les affaires roulent bien toutes seules. Sa stratégie et son positionnement sur le marché sont basés sur des idées créatives: réservations par Internet, donc réduction du personnel, sobriété des locaux, jamais de retard.

Alors que l'industrie aérienne traverse l'une des pires périodes de son histoire et accuse des pertes, d'autres nouveaunés réussissent et réalisent des profits fort intéressants. Quel est donc leur secret?

Ils sont des transporteurs à rabais, des sociétés de petite taille, qui exploitent des appareils de 70 à 170 passagers. Ces sociétés offrent des prix dérisoires sur les destinations les plus fréquentes, tout en promettant d'arriver à l'heure! Elles sont en train de bouleverser l'univers du transport aérien.

Avec elles, il faut oublier le dorlotement habituel des autres transporteurs traditionnels! Pas de repas chaud à bord, ni de couvertures, ni d'oreillers, ni de chaussettes.

Elles prennent ainsi des parts de marché importantes et toujours grandissantes. En fait, elles accaparent à présent presque la moitié du marché.

Ce modèle de gestion très créatif et rentable semble être voué à perdurer.

Ce qui se passe dans cette industrie est le plus bel exemple du combat entre concurrents!

S'inspirer pour survivre

Toutes ces techniques, tous ces exemples peuvent être une source d'inspiration pour tous les entrepreneurs, les dirigeants d'entreprise, les responsables de marketing, peu importe leur secteur d'activités. Chacun peut tailler sur mesure son programme de marketing intelligent et créatif. Pour survivre dans un monde de plus en plus compétitif, il faut s'inspirer constamment de ce qui nous entoure, des idées qui se font dans le monde et qui peuvent s'appliquer à notre entreprise. Tout outil, toute technique, toute stratégie est modifiable, comme un produit ou un service peut l'être. Il n'existe pas de limite à la créativité. Elle ouvre des possibilités d'affaires à tous, du plus petit au plus grand.

Encore des façons d'être créatif !

Comme nous l'avons vu, il existe plein d'outils à utiliser en vue d'appliquer la créativité en marketing. On en trouvera toujours d'autres et encore d'autres. Parmi les autres façons d'être créatif, il y a les lettres personnelles. Mais pour atteindre le summum de la créativité, les faire livrer, c'est sans aucun doute un moyen sûr de se distinguer.

Je me rappelle, lorsque j'ai débuté à mon compte et que je représentais une vingtaine d'instituts de langues, que tous m'avaient envoyé leur brochure par la poste, par avion, excepté un seul, qui me l'avait envoyée par DHL. Elle était accompagnée d'une lettre personnelle, contrairement à toutes les autres. Ceci m'avait beaucoup impressionné et surtout motivé à promouvoir cet institut le plus activement possible. Il avait bien réussi son marketing intelligent et créatif, puisque je lui avais envoyé le tiers des clients référés cette année-là aux 20 instituts en Angleterre. Cet institut était, et reste toujours, au moment où j'écris ce livre, un leader dans cette industrie assez difficile.

Arrêtez-vous de temps en temps...
Réfléchissez... pour créer...

Enfin, un conseil! Arrêtez-vous de temps en temps. Réfléchissez... Laissez aller votre pensée. Elle vous surprendra. La
créativité est faite d'idées qui permettent à chacun de nous de
concrétiser ses réalisations s'il le veut. Il faut donner du temps
pour la réflexion. Vous ne pourrez qu'en être récompensés.

Principe 10

*La différence qui fait toute la différence et qui donne
une marque distinctive est essentielle à chaque aspect
du marketing, pour maintenir ou accroître le succès.*

LES TECHNIQUES POUR SÉLECTIONNER DES MÉTHODES DE MARKETING

Avec le marketing intelligent, il est judicieux d'explorer les diverses méthodes de marketing qui se trouvent à votre disposition.

Dressez la liste

Dressez tout d'abord la liste de tous les outils de marketing possibles et imaginables :

- Affiches : à mettre sur des tableaux d'affichage ;
- Alliances : effectuer des alliances ;
- Annonces classées ;
- Articles dans les médias ;
- Brochures ;
- Bulletin d'entreprise ;
- Cadeaux promotionnels : agendas, montres, stylos, etc. ;
- Certificats affichés à l'intérieur : certificats d'agrément, certificats d'affiliation à des associations professionnelles, médailles et prix obtenus, etc. ;
- Circulaires ;

- Communiqués de presse;
- Démonstrations;
- Échanges: promotion, publicité, produits, services;
- Échantillons;
- Enseignes extérieures;
- Événements commandités;
- Événements et réunions: participer à des événements et à des réunions organisés par les chambres de commerce;
- Expositions;
- Galas d'affaires;
- Internet;
- Journaux;
- Lettres personnelles;
- Pages jaunes;
- Parrainer des événements;
- Production de vidéo publicitaire;
- Publipostage direct;
- Radio;
- Relations publiques (incluant les relations avec les communautés, les clubs et autres);
- Réseau d'affaires;
- Revues;
- Séminaires gratuits;
- Socialiser;
- T-shirts;
- Télécopieur;
- Télémarketing;
- Téléphone;
- Télévision;
- Volontariat.

Même si la liste paraît longue, ces outils ne représentent que quelques idées de ce qui peut être considéré comme étant un marketing intelligent. Le cerveau possède des ressources illimitées qu'il faut explorer. Le fait de dresser une liste de tous les outils possibles et imaginables permet de bien analyser chacun d'eux et d'effectuer des choix intelligents.

Sélectionnez les outils

La deuxième étape consiste à sélectionner des outils compatibles avec vos activités, vos moyens et vos objectifs.

Une technique pour des moyens gratuits

Voici une technique bien simple pour sélectionner des moyens gratuits de marketing.

Vous trouverez ci-après une liste, tirée de la liste ci-dessus, de moyens que vous pouvez utiliser gratuitement ou à très peu de frais. Vous constaterez que vous avez à votre disposition plus de vingt outils pour entreprendre votre marketing sans avoir à débourser de l'argent !

Classez les moyens *gratuits* suivants selon l'ordre dans lequel vous les utiliserez pour cerner de bonnes pistes de clients éventuels :

Alliances : effectuer des alliances.

Articles dans les médias : les médias ont toujours besoin d'une bonne information, d'une bonne histoire. Non pas celle qui fait seulement votre affaire, mais celle qui peut être d'intérêt public. Voici donc un outil intéressant à explorer si vous êtes capable de créer une histoire, une information, une nouvelle à partir des éléments ou des nouveautés de votre entreprise. Prenez contact avec un journaliste de votre média préféré. Parlez-lui de ce que vous avez à communiquer. Si votre approche est bonne et votre contenu valable, vous avez de fortes chances d'être publié gratuitement. Il ne s'agit bien évidemment pas d'une publicité dans le vrai sens du terme, mais une telle action est susceptible de vous faire de la publicité sans frais.

Brochure : vous pourrez la concevoir à l'aide de votre ordinateur et la diffuser par Internet. Ainsi, vous n'aurez à défrayer ni coûts de production, ni frais d'envoi.

Bulletin d'entreprise : à l'instar de la brochure, vous pourrez aussi concevoir votre bulletin d'entreprise à l'aide de votre ordinateur et l'envoyer par courriel à vos clients actuels et potentiels.

Certificats affichés à l'intérieur : certificats d'agrément, certificats d'affiliation à des associations professionnelles, médailles et prix obtenus, etc. Vous n'aurez qu'à placer dans des cadres les certificats que vous recevez chaque année de diverses sources et les afficher sur les murs de votre entreprise.

Circulaires : tout comme la brochure et le bulletin, vous pouvez créer une circulaire à l'aide de votre traitement de texte. Ensuite, vous en imprimez une copie à l'aide de votre imprimante. Vous la photocopiez, sur papier couleur idéalement, en autant de copies que vous avez besoin. Vous pouvez aussi le faire au fur et à mesure de vos besoins.

Communiqués de presse : vous pouvez créer votre propre communiqué de presse, en vous inspirant des conseils et idées fournis à ce sujet dans ce livre.

Échanges : ils peuvent revêtir différentes formes. À titre d'exemple : vous êtes comptable et vous avez besoin de conseils juridiques de temps en temps pour votre entreprise. Vous pouvez effectuer une entente avec un avocat. Ce dernier vous fournira des conseils durant l'année et vous de même. Vous lui effectuerez ses déclarations fiscales. Il révisera vos documents juridiques. Tant que l'un n'abuse pas trop du temps de l'autre, cet échange peut très bien fonctionner. Ainsi, ni l'un ni l'autre n'aura besoin de débourser de l'argent de ses poches. Les échanges peuvent s'appliquer à un tas d'autres situations. Il peut s'agir d'un échange publicitaire entre un média et un autre ou entre un média et une entreprise de marketing par Internet ou par télécopieur. Il peut aussi s'agir d'un échange avec un organisateur d'un salon qui vous offrira un espace moyennant de la publicité que vous lui faites pour son salon sur votre site Internet et par voie de contacts personnels. Les liens entre sites Internet sont aussi un moyen d'échanges. Les exemples sont nombreux dans ce domaine. Chacun pourrait trouver le moyen approprié dans le cadre de ses activités et de ses objectifs de marketing.

J'ai beaucoup appliqué cette technique, avec succès, dans mes divers projets d'affaires, surtout lorsque j'étais éditeur d'un magazine d'affaires qui fut publié au Québec.

Événements et réunions (volontariat) : à part l'enrichissement personnel que cela peut vous apporter, le volontariat vous offre aussi une visibilité qui a de fortes chances d'être rentable. Toute retombée positive, à moyen ou long terme, ne sera qu'un juste retour des choses.

Expositions : vous pouvez visiter les foires commerciales susceptibles de vous attirer des clients ou même des partenariats intéressants. Vous n'avez pas besoin d'avoir un stand pour effectuer des contacts et développer votre réseau d'affaires.

Internet : les liens avec d'autres sites Internet d'intérêt pourraient, dans certains cas, constituer un moyen d'échange intéressant.

Journaux et magazines : certains médias acceptent de faire des échanges dans le domaine de la promotion et du marketing. Il existe plusieurs façons de convenir de tels échanges. Un magazine peut, par exemple, vous accorder une page gratuite dans sa revue à condition que vous lui en offriez une sur votre site Internet.

Lettres personnelles : le marketing intelligent recommande de cibler quelques contacts parmi les plus importants et de leur adresser des lettres personnelles de temps en temps durant l'année. Votre lettre sera courte, et n'aura pas plus d'une page. L'idée, c'est de rester en contact et de tenir ces personnes influentes dans le monde des affaires informées du développement des vôtres. Même si elles n'achèteront pas vos produits ou n'utiliseront pas vos services, elles pourraient fort bien vous recommander auprès d'autres personnes.

Dans un monde trop souvent impersonnel, les lettres personnalisées peuvent avoir un impact important et toucher les gens à qui vous les adressez. Les frais d'une telle opération sont tout simplement dérisoires! Les personnes qui recevront votre lettre seront surtout sensibles au fait que vous ayez pris le temps de leur écrire, parce que les gens d'affaires connaissent l'importance du temps.

Radio : tout comme les journaux et les magazines, les stations radio sont intéressées par les nouvelles. Voici donc un autre moyen d'étendre votre rayonnement commercial.

Relations publiques gratuites (incluant les relations avec les communautés, les clubs et autres).

Réseau d'affaires : chaque contact peut être utile en soi. Chaque rencontre doit être prise au sérieux. Chaque carte professionnelle doit être soigneusement rangée.

Séminaires gratuits : vous pouvez les donner chez vous au bureau. Si vous n'avez pas suffisamment d'espace dans votre entreprise pour de tels événements, organisez un déjeuner à l'hôtel et faites payer à vos invités le prix du déjeuner seulement, tel que facturé par l'hôtel.

Socialiser : il s'agit d'un excellent moyen de joindre l'utile à l'agréable! Le cadre convivial favorise les rapports personnels et c'est souvent dans un tel cadre que se brassent les plus grosses affaires!

Télécopieur : les envois par télécopie sont un moyen de plus en plus attrayant de nos jours, compte tenu du fait qu'avec Internet, ce moyen est maintenant plus rarement utilisé.

Télévision : des entrevues à la télévision peuvent aussi éventuellement être organisées.

Autres : à vous de créer d'autres idées qui conviendront le mieux à vos activités. Le potentiel de l'imagination est sans limites !

Considérer chaque outil

Le marketing intelligent considère chaque outil et utilise la meilleure combinaison pour son entreprise, en fonction des activités, des objectifs et des budgets de celle-ci. C'est d'ailleurs la clé de la réussite dans le choix des méthodes de marketing.

Aussi, l'usage que nous faisons de chaque méthode de marketing est-il important. Avec le marketing intelligent, il s'agit d'exploiter chaque outil, en fonction des avantages qu'il offre.

En voici quelques exemples :

Télémarketing : parlez clairement. Utilisez de courtes phrases. Parlez assez fort, non pas dans le microphone du téléphone, mais à côté.

Il faut aussi identifier les avantages de chaque outil pour bien s'assurer que celui-ci correspond vraiment à ses besoins. Par exemple, le gros avantage du télémarketing, c'est la réponse instantanée qu'il fournit à votre offre. Vous avez aussi la possibilité d'obtenir des commentaires sur-le-champ. Vous pouvez également négocier.

Télévision : planifiez un minimum de trois mois et de l'argent pour cela. Cet outil est efficace en marketing seulement lorsqu'il est beaucoup utilisé. Beaucoup signifie que c'est cher ! Ce serait une grave erreur de penser que l'effet marketing de la télévision est rapide. La formule des campagnes intensives par périodes espacées fonctionne bien, habituellement. Par exemple, vous achetez un forfait pour un certain nombre de messages publicitaires télévisés, pour un certain temps. Puis, vous arrêtez quelque temps (pas trop longtemps). Ensuite, vous reprenez avec la même intensité ou un peu plus (jamais moins), et ainsi de suite. Vous serez en mesure d'évaluer, quelques mois plus tard, les effets de vos campagnes publicitaires.

Publipostage direct : testez, testez, testez. C'est la clé du publipostage direct. Le feed-back est instantané et il permet d'échanger et de s'ajuster rapidement.

Les cadeaux promotionnels : c'est un vaste univers, faites attention de faire le bon choix. Il y en a pour tous les goûts et pour toutes les bourses. Quel est votre budget ? Mais quel est le goût de celui à qui vous allez offrir un tel cadeau ? Avec le marketing intelligent, ce serait une grave erreur d'offrir pour offrir. Montre, polo, porte-clés, stylo... La liste est longue. Faites du cadeau votre priorité. Quel que soit le choix que vous ferez, faites en sorte que votre cadeau contienne un message ou qu'il soit inoubliable. Si habituellement le nom et le logo de votre entreprise doivent être apposés sur l'objet promotionnel pour rappeler votre présence, ce n'est pas une nécessité absolue. Souvenez-vous qu'une bouteille de champagne peut faire son effet. On s'en souviendra longtemps. C'est cela qui compte.

Évaluez bien l'objectif de l'objet : sera-t-il offert lors d'une foire commerciale pour susciter l'intérêt durant les expositions commerciales ? Ou encore pour stimuler la productivité d'un employé ? Pour augmenter le volume des ventes du personnel ? Pour contribuer à populariser de nouveaux produits ou de nouvelles formules de services et d'établissements ? Va-t-il être offert conditionnellement à l'achat d'un produit (un sac de cosmétiques avec l'achat de produits de beauté ou un garde-complet avec l'achat d'un costume) ? On les appelle, dans ce cas, des objets de prime ou d'incitation, de motivation. Toutefois, ces cadeaux ne sont pas personnalisés puisqu'ils sont conçus pour plaire à un vaste public.

Il y a aussi des objets publicitaires qu'on appelle des cadeaux de récompense. Ils sont remis pour récompenser des résultats importants ou accorder certains honneurs, comme le prix d'un concours.

Il y a, d'autre part, les cadeaux généralement offerts pour dire tout simplement *merci* aux clients, aux fournisseurs, aux congressistes, aux employés modèles...

Les cadeaux intelligents

Le stylo fait toujours partie des objets populaires. C'est un article qui se renouvelle par sa forme et ses couleurs. Une personne qui applique le marketing intelligent s'assure d'offrir un beau stylo de qualité, gravé au nom de la personne. C'est ce qu'il y a de plus intelligent car c'est ce qu'il y a de plus personnel !

La montre est une excellente idée de cadeau. Il existe toute une panoplie de modèles. Le nom et le logo de votre entreprise gravés dans le cadran feront en sorte que vous clients penseront à vous durant toute l'année. Optez pour une montre élégante, de qualité, néoclassique, qui puisse plaire à tout le monde.

L'art est de plus en plus en vogue. Pensez une œuvre à signée par des artistes du pays ou encore qui évoque la culture de ce dernier. L'aspect utilitaire est important. Il vaut mieux, cependant, s'assurer que la personne à qui vous comptez l'offrir apprécie ce genre de cadeaux. Certaines personnes n'aiment pas les tableaux.

Le vêtement est souvent une excellente idée, surtout dans le cas d'universités ou de clubs sportifs.

Un souvenir évoquant un pays fait aussi plaisir et il est apprécié par la plupart des gens.

L'idéal, ce serait un type de cadeau vraiment exclusif. Il vaut mieux le commander d'avance pour laisser le temps au fournisseur de penser à un produit original, qu'il devra éventuellement faire venir de l'étranger.

Enfin, ce ne sont pas les idées qui manquent dans ce domaine. L'important, c'est de respecter certains critères fondamentaux dans la majorité des cas : le cadeau doit être pratique, susceptible d'être utilisé fréquemment et facilement, véhiculant le message le plus longtemps possible. Il doit être universel, donc pas trop spécialisé, pour qu'il atteigne le plus grand nombre de personnes possible. Enfin, il est essentiel qu'il soit de qualité pour qu'il projette l'image d'une entreprise qui traite bien les autres. Surtout, le produit durera longtemps, rappelant ainsi la qualité de l'entreprise qui l'a offert. En somme, trois critères fondamentaux : le cadeau doit être pratique, universel et de qualité.

Élaborez un calendrier

La troisième étape consiste à élaborer un calendrier de marketing et un budget réparti entre les outils de la liste. Tenez compte des frais de production.

> ### Principe 11
> *Dans un marketing intelligent, il est judicieux d'explorer les diverses méthodes de marketing possibles et ainsi privilégier celles qui sont gratuites.*

AVEC QUOI ATTIRER L'ATTENTION ?

Le cigare de Churchill

Churchill, ancien premier ministre britannique du temps de la Deuxième Guerre mondiale, fumait le cigare partout où il se trouvait. Il attirait ainsi l'attention sur lui et sur son pays.

Certains disent même que durant les derniers temps précédant sa mort, il mettait le cigare dans sa bouche sans le fumer ou il le tenait entre deux doigts, pour les besoins de l'image. Sans doute, Churchill aimait bien fumer le cigare, à tel point qu'on raconte qu'il en fumait jusqu'à dix par jour ! Difficile, donc, d'échapper aux caméras. Il n'en demeure pas moins qu'en s'adonnant à volonté à ce plaisir, il attirait l'attention. L'image qu'il projetait pour plusieurs était celle d'un bon vivant, d'un homme convivial et détendu. Le cigare est aussi en quelque sorte un symbole de puissance. À une époque durant laquelle l'Europe était en guerre contre Hitler, l'image d'un Churchill fort, sûr de lui, une image intimement associée à celle du Royaume-Uni, était chargée de significations. Churchill incarnait la résistance britannique à Hitler. En même temps, l'Empire britannique se disloquait. Son cigare était chargé d'un symbole de force tranquille et de résistance. Mais surtout, il captivait son auditoire. Bien entendu, cela n'est qu'un moyen d'attirer l'attention. Chacun peut choisir la stratégie qui convient le mieux à son contexte. Par exemple, un commerçant de détail à New York a organisé une parade à côté de son magasin pour attirer l'attention. Le coup a bien réussi.

Diverses façons d'attirer l'attention

Il existe de multiples façons d'attirer l'attention. Souvenez-vous du temps où vous étiez à l'école. Vous (ou vos camarades de classe) tentiez souvent par tous les moyens d'attirer l'attention du professeur et des élèves. Comment procédiez-vous? Vous faisiez du bruit. Vous racontiez à voix basse une anecdote à quelques camarades assis autour de vous et partiez à rire, ou bien vous cherchiez à obtenir la meilleure note de la classe, ce qui était peut-être moins facile! Vous vous achetiez aussi un vêtement de dernière mode pour les jeunes ou vous vous faisiez coiffer d'une manière excentrique pour vous faire remarquer. Il faudrait donc user du même stratagème pour attirer l'attention des autres sur votre entreprise, vos produits, vos services.

Faites donc un peu de bruit autour de vous! Il n'est pas nécessaire pour cela de monter une parade. Créez un événement qui fasse parler de vous. Par exemple, si vous possédez un hôtel de première classe, vous pourriez offrir une nuit ou une fin de semaine à votre hôtel à vingt dollars la nuit durant l'année de votre vingtième anniversaire. En quoi cela peut-il être extraordinaire? Tout simplement par le fait que vous en parlerez durant toute une année! Les gens parleraient aussi de vous autour d'eux. On nommera votre hôtel, son emplacement. On s'intéressera aux commodités qu'il offre. On s'en souviendra durant quelque temps, le temps que vous fassiez à nouveau parler de vous grâce à un autre événement que vous aurez choisi. Placez un clown à la porte de votre commerce qui fasse rire les passants. Essayez de surpasser tous vos concurrents dans au moins un produit ou un service. Cela suffit pour faire parler de vous. Mais surtout, habillez-vous bien et exigez de tous vos employés qu'ils s'habillent correctement. Que vos bureaux soient beaux et modernes. Comme on a tendance à négliger ces aspects-là, vous retiendrez certainement l'attention des autres.

Attirer l'attention avec l'objet promotionnel ou les invitations ?

Le cadeau promotionnel est un autre moyen courant d'attirer l'attention. Si vous ne pouvez être avec vos clients chaque jour, pourquoi ne pas laisser les articles promotionnels prendre la relève ? Les articles promotionnels peuvent contribuer largement à attirer l'attention sur vous, votre entreprise et vos produits ou services, s'ils sont bien choisis. Ils peuvent prendre la forme de matériel publicitaire aussi bien que de cadeaux corporatifs. Afin d'obtenir les résultats escomptés, il faut bien évidemment y apposer le nom et le logo de votre entreprise.

La visibilité étant à la base du marketing intelligent, le choix de ces articles doit répondre à cet objectif. Ce n'est souvent pas le cas des entreprises qui choisissent des objets promotionnels qui ne sont le plus souvent jamais utilisés par leurs clients. Certains cadeaux promotionnels n'ont aucun effet, d'autres constituent un moyen durable. Une chose est sûre, ils doivent servir à accroître votre notoriété et véhiculer l'image idéale que les autres ont déjà de vous.

Voici quelques exemples d'articles qu'il serait bon d'intégrer dans vos stratégies d'affaires pour attirer l'attention. Ils représentent de puissants outils promotionnels, parce qu'ils sont généralement fort appréciés. Il serait bon de noter que les emballages attrayants ajouteront une touche personnelle à ces articles que vous pourrez offrir aux clients.

Il existe trois types d'approche :

Premier type d'approche : l'approche qui fait plaisir et impressionne, mais qui ne laisse de trace que l'agréable souvenir du cadeau consommable, lequel sera habituellement consommé dans le mois qui suit.

Exemple : une bouteille de champagne, une boîte de chocolats belges ou suisses.

Lorsque je travaillais dans des hôtels situées sur les Champs-Élysées, à Paris, mes patrons offraient chaque année lors des fêtes de Noël une bouteille de champagne à chaque hôtesse de tourisme de Paris qui leur référait des clients. Ils offraient le même cadeau aux membres du personnel de l'hôtel dont je faisais partie. L'impact était assez fort. Je m'en souvenais chaque année à l'approche des festivités, sans doute les hôtesses aussi, puisque cela correspondait parfaitement à l'humeur des fêtes.

On retrouve deux inconvénients à ce type d'approche : le premier, c'est qu'on ne peut pas mettre le nom et le logo de son entreprise sur ce genre de cadeau. D'ailleurs, cela ne servirait à rien puisqu'il s'agit de produits de consommation. Le deuxième inconvénient, c'est que le cadeau n'est pas visible tout au long de l'année.

Malgré cela, il s'agit d'une bonne idée qui laisse une bonne impression. Le fait de le faire chaque année au même moment crée une sorte de régularité fort intéressante sur le plan de la relation humaine et donc sur le plan promotionnel.

Deuxième type d'approche : le deuxième type d'approche, c'est d'effectuer des invitations au restaurant ou d'organiser une réception chez soi ou dans un hôtel de première classe. Les mêmes commentaires que pour le premier type d'approche s'appliquent à ce second type. Il faut ajouter que certaines invitations laissent leurs marques et peuvent donc être très intéressantes en ce qui a trait à la visibilité. Je me souviens, plusieurs années après, d'une petite réception intime qu'avait organisée mon comptable dans son bureau. Il avait invité quelques personnalités intéressantes. Puis, quelques années plus tard, il m'a convié à une grande réception, d'une centaine de personnes, dans un hôtel de première classe, à l'occasion du 25e anniversaire de son cabinet. Je me souviens aussi d'un homme d'affaires qui m'avait invité au mariage de sa fille dans un autre hôtel très huppé. Enfin, je me souviens également d'une amie qui m'avait invité à un grand restaurant thaïlandais pour fêter le 75e anniversaire de son père. On s'en souvient habituellement assez longtemps! Plusieurs de mes amis et connaissances me parlent encore, plusieurs années plus tard, de telle ou telle autre réception où je les avais invités chez moi. Avec toutes ces personnes, j'ai connu des relations de travail très fructueuses, renforcées par des invitations amicales réciproques.

Troisième type d'approche: il s'agit de celui qui est le plus commercial: les cadeaux promotionnels. Le choix est vaste. Certaines revues d'affaires offrent par exemple une montre ou un stylo avec le nom du magazine écrit dessus à ceux qui s'abonnent à leur revue. La montre est certainement une excellente idée de marketing créatif. Chaque fois que votre client va la consulter, il posera son regard sur vos nom et logo, qui doivent être bien en évidence. Le stylo est à mon avis un moyen moins efficace. On n'a pas le temps, de nos jours, de contempler son stylo, à moins qu'il ne soit placé sur un support conçu pour le bureau. J'ai deux beaux stylos qu'un ami m'a offerts avec mes initiales écrites en or. Ils sont devant moi quand je travaille. Je m'en sers et je me souviens de lui, ainsi que de sa grande entreprise, connue à l'échelle mondiale. Un autre ami à moi, de France, qui crée des montres cadeaux depuis plus de 30 ans, m'a offert deux belles montres avec son nom gravé sur le cadran. Je les porte souvent. Les gens me font parfois des compliments à propos de ces montres. Je lui fais de la publicité gratuite. Lors de mes débuts dans les affaires, j'avais créé une société d'import-export et de promotion. Je représentais les produits créés par mon ami. Ma première commande provenait d'une compagnie qui fabriquait des piscines. Son propriétaire souhaitait graver le nom, ainsi que la photo de son modèle, le plus convoité de la piscine dans le cadran de montre.

Un autre cadeau fréquent et intelligent est le t-shirt. Il n'est pas seulement visible sur le client à qui il a été offert mais aussi pour d'autres clients potentiels. Le client le portera pour jouer au tennis ou au golf avec d'autres, ce qui assurera une visibilité additionnelle. Les universités utilisent habituellement cet outil promotionnel. Mieux encore, elles le vendent. Apposer le nom et le logo de l'entreprise sur un vêtement tout simple vous permet d'être présent quotidiennement auprès de votre client. Il s'agit aussi d'une façon de vous faire connaître auprès de clients potentiels. J'ai essayé ce moyen lorsque j'avais mon Institut international de gestion et de langues. Cet outil ne m'a pas semblé aussi efficace que je le pensais. Est-ce parce que nous vendions nos t-shirts que nous n'arrivions pas à écouler notre stock? J'en suis venu à la conclusion que ce genre de produit était sans doute plus approprié dans le cas d'une université parce que les personnes sont fières de porter son nom! Lorsque je représentais des instituts d'Angleterre et des États-Unis et que je recrutais des clients pour eux, nous remettions à chaque voyageur une valise avec le nom de mon entreprise gravée dessus, en guise de cadeau. Les clients adoraient! En les voyant si heureux de recevoir leur cadeau, je me demandais parfois s'ils nous avaient choisis pour avoir droit à cette belle valise de luxe que nous leur offrions. Certains, même, nous demandaient, avant de s'inscrire à l'un de nos programmes, si notre forfait incluait la fameuse valise!

Lequel des trois types d'approche répond le mieux au marketing créatif que prône le marketing intelligent? Difficile à dire. Car tout dépend du contexte et de la situation. Ce qu'il ne faut surtout pas oublier, c'est que les cadeaux font toujours plaisir, qu'ils motivent et facilitent l'entretien des relations avec les clients.

Ce qu'il faut éviter, ce sont surtout les cadeaux faits dans une intention d'obtenir des faveurs de quelqu'un. De tels cadeaux sont de mauvais goût dans une société bien pourvue.

Attirer l'attention ... simplement

Certaines petites entreprises font des publicités au moment où leurs principaux concurrents n'en font pas. Il s'agit bien d'une façon d'attirer l'attention, simplement.

Principe 12

Les cadeaux font toujours plaisir, motivent et facilitent l'entretien des relations avec les clients. Ils peuvent être de mauvais goût s'ils sont offerts dans le but d'obtenir les faveurs de quelqu'un.

LES PHRASES-CHOCS QUI SONT RENTABLES

Qu'est-ce que les phrases-chocs en marketing ?

Les phrases-chocs, en marketing, sont des phrases qui ont un retentissement et un prolongement importants. Elles se répercutent dans notre esprit. Elles éveillent en nous des résonances profondes. Elles prennent une grande amplitude dans notre cerveau. Elles influencent notre conception et nous poussent à prendre des décisions.

Ce sont des phrases habituellement courtes, faciles à retenir et à répéter. Nous y pensons souvent. Nous les retenons. Nous les fredonnons parfois. Nous les utilisons avec d'autres, d'une autre façon, sans nous en rendre compte. Elles nous touchent le plus souvent. Elles agissent sur notre instinct et aiguisent notre sensibilité.

Un Anglais m'a écrit un jour ceci : « *I am sure that under your guidance, your company will continue to grow.* » Ce qui signifie ce qui suit : « Je suis persuadé que, tant que vous dirigerez cette entreprise, elle continuera de grandir. » Plusieurs années plus tard, je me souviens encore de cette phrase que cet Anglais m'avait écrite pour terminer la lettre qu'il m'envoyait. Je m'étais dit qu'il avait apprécié notre collaboration et qu'il avait confiance que mon entreprise continuerait d'avancer dans le bon sens aussi longtemps que je la dirigerais. Cette marque de confiance qu'il me témoignait était réciproque. Il avait su l'exprimer avant moi et il m'avait appris, en le faisant, à faire de même avec d'autres personnes. Je comprenais ainsi le pouvoir des mots. J'exerçais ce pouvoir à bon escient à chaque fois que l'occasion se présentait à moi. Pourquoi ne pas témoigner aux autres la confiance que nous avons en eux par des phrases éloquentes?

Les phrases-chocs, en marketing, c'est aussi lorsque nous exprimons à nos clients notre gratitude pour leur fidélité et à nos collaborateurs, fournisseurs, membres du personnel, notre appréciation pour leurs bons services, et ce, de façon puissante.

Pourquoi s'en servir?

C'est motivant pour eux, c'est rentable pour nous. Ces phrases perdurent dans l'esprit, améliorent les relations interpersonnelles et débouchent souvent sur des relations d'amitié et de travail durables.

Elles sont magiques en marketing. Elles produisent des effets catalyseurs, nécessaires pour faire avancer les choses.

Une personne qui applique le marketing intelligent ne peut pas fonctionner sans des phrases-chocs. Elles font partie de son vocabulaire, aussi bien oral qu'écrit.

Où s'en servir?

Elles ont leur place pratiquement partout : sur des affiches, dans un courriel, dans la brochure de l'entreprise, dans les publicités dans les médias, dans les pages jaunes, à la radio ou à la télévision.

Quand s'en servir?

On peut surtout s'en servir lorsqu'on effectue des campagnes publicitaires, lorsqu'on conçoit une circulaire, un communiqué de presse, la brochure de l'entreprise, mais aussi, et peut-être surtout, lorsqu'on écrit une lettre à quelqu'un ou qu'on envoie un courriel.

Comment s'en servir ?

Si elles sont lancées à la légère, vous aurez l'air d'un flatteur vulgaire. Pour être efficaces et rentables, les phrases-chocs doivent être à la fois authentiques, honnêtes et puissantes. Elles doivent correspondre à la réalité de l'entreprise, à sa mission et à ses objectifs.

Voici, par exemple, une des phrases-chocs que j'ai notées dans la brochure d'une grande compagnie d'assurance : « Je vais vous aider à atteindre vos objectifs. » Qui de nous ne souhaite pas être aidé ? Cette phrase touche tout le monde.

Le but de ce chapitre n'est pas de vous énumérer toute une liste de phrases-chocs que vous pourriez utiliser, car une telle liste serait interminable. Il a pour but de mettre en lumière l'importance des phrases-chocs pour un marketing intelligent, mais aussi, et surtout, la façon la plus appropriée de s'en servir. Il vise également à vous fournir des exemples qui vous donnent des idées. Dans la vie de tous les jours, tout est source d'inspiration pour développer vos propres phrases-chocs. Sans elles, vous demeurerez confiné dans un marketing ordinaire qui ne possède pas le leadership requis en ce millénaire.

Les phrases-chocs dans des lettres personnalisées

Nous recevons souvent des lettres qui, quoique étant standard, donnent l'impression d'être personnalisées. Elles sont signées par le président, à l'encre bleue. Ce qui est plus impressionnant encore, ce sont les phrases-chocs qui y sont utilisées.

Les éditeurs de magazines en sont les champions. Leurs lettres commencent le plus souvent par une phrase du style : *PROFITEZ DE CETTE OFFRE EXCEPTIONNELLE À SEULE-MENT UN DOLLAR PAR MOIS !* Et le tour est joué. La plupart d'entre nous se disent sans doute que cela vaut bien la peine de ne payer qu'un dollar par mois pour lire ce magazine de grande réputation. Et nous y souscrivons.

La première personne est généralement utilisée dans ce genre de lettres, ce qui donne aux phrases un caractère encore plus personnel. Le tout se termine par d'autres phrases-chocs qui invitent à l'action, telle que *Postez vite votre bon d'abonnement*. On dirait que, si on ne le fait pas, il y aura un feu autour de nous! Enfin, un post-scriptum vient s'ajouter à la fin de la lettre pour couronner le tout. Il répète l'offre.

Les phrases-chocs dans les circulaires

Les phrases-chocs dans les circulaires promotionnelles sont d'une rentabilité époustouflante. Imaginez une personne qui a en main votre circulaire d'épicerie de la semaine. Elle lit en premier lieu: «Cette semaine, la meilleure qualité de viande au prix le plus bas.» Une autre circulaire concernant un magasin d'ameublements dit: «Achetez, prenez, meublez, et ne payez rien avant un an.» Une autre circulaire d'une agence de voyages annonce un voyage à Acapulco, au Mexique, pour une semaine, à un prix très tentant.

Principe 13

Il faut savoir se servir des phrases-chocs qui sont rentables en marketing.

LA MAUVAISE GESTION DE LA PUBLICITÉ

Les entreprises dépensent plus d'argent que jamais en publicité. Et pourtant, les résultats sont souvent tellement décevants. Pourquoi ?

Pour certaines entreprises, tous les moyens sont bons pour s'annoncer : journaux, radio, revues, télévision. Elles dépensent des milliers et des milliers de dollars en budgets publicitaires. Et pourtant, la plupart des entreprises sont déçues par les résultats de leurs investissements. Leurs doléances sont toujours les mêmes : le retour sur leur investissement est extrêmement faible.

Si elles parviennent à formuler leurs griefs, elles ont plus de difficulté à en reconnaître la raison fondamentale, pourtant bien simple : une mauvaise gestion de la publicité.

Un impact significatif sur les ventes et un effet prolongé

Le marketing intelligent vise toujours un double but dans les campagnes publicitaires : un impact significatif sur les ventes et un effet prolongé.

Avec le marketing intelligent, la plupart des décisions en matière de publicité sont basées sur la philosophie d'augmentation des ventes, de façon substantielle. Sinon, on doit avoir recours à d'autres moyens publicitaires que la publicité payante. Dans le feu de l'action, peu d'entreprises se soucient suffisamment du levier qui permettrait d'augmenter les ventes autant que les profits.

Que d'argent est ainsi gaspillé inutilement en dépenses publicitaires!

Comment mieux gérer son budget publicitaire

La clé de la réussite en matière de gestion de la publicité, c'est de tester et d'évaluer les performances de votre publicité.

Le suivi peut faire économiser beaucoup d'argent à l'entreprise et lui assurer un impact bien plus fort sur le marché.

Ces trois aspects, tester, évaluer et effectuer le suivi, sont souvent mal appliqués par les entreprises.

Les conséquences d'une mauvaise gestion de la publicité

Une mauvaise gestion de la publicité risque fort de mettre en péril le concept même du marketing intelligent, basé sur le profit et non sur les ventes. C'est pourquoi le marketing intelligent n'utilise presque jamais la publicité payante, sauf en combinaison avec les autres moyens gratuits disponibles.

Principe 14

Une mauvaise gestion de la publicité risque fort de mettre en péril le concept même du marketing intelligent. C'est pourquoi il faut toujours combiner les publicités payantes avec les autres moyens gratuits disponibles.

PUBLICITÉ, PUBLICITÉ, PUBLICITÉ

Le summum d'un marketing intelligent

Il y a la publicité médiatique habituelle, mais il y a aussi les autres moyens de communication qui peuvent être mis en œuvre par une entreprise et qui sont aussi de la publicité. Il s'agit du parrainage, de la promotion des ventes, des relations publiques, des moyens qui sont aussi importants et qui ont été évoqués dans ce livre. Il y a aussi la publicité directe, celle qui cherche à toucher directement et individuellement un client potentiel, en vue de le faire réagir rapidement. Elle se traduit par un envoi postal ou la distribution de dépliants dans les boîtes aux lettres. Elle se fait aussi par courriel, par télécopieur et par téléphone. C'est un complément intéressant à la publicité dans la presse, la radio et la télévision. La publicité directe poursuit différents objectifs. Elle vise à inciter les clients potentiels à demander de la documentation. Elle peut aussi avoir pour objectif de les motiver à se rendre à un point de vente grâce à des coupons de réduction ou à des offres promotionnelles. Elle peut également préparer une visite ou un appel téléphonique d'un représentant dans les cas de campagnes ciblant le grand public. Elle peut enfin pousser les clients potentiels à commander ou à s'inscrire sur-le-champ à un programme quelconque, s'ils estiment avoir assez d'informations pour le faire.

Le summum du marketing intelligent, c'est lorsque les divers moyens de communication cités plus haut sont appliqués parallèlement à la publicité médiatique, de façon puissante, avec la même intensité. Cela produit un effet du tonnerre. Il s'agit là de la plus puissante forme de marketing.

Ce chapitre traite essentiellement de la publicité médiatique (cinéma, pages jaunes, presse, radio, télévision), dans un marketing intelligent. On s'y référera tout au long de cette partie en utilisant le terme *publicité*.

Elle ne suffit plus... et pourtant !

Dans l'environnement concurrentiel d'aujourd'hui, la publicité n'est plus le principal moyen de communication pour les entreprises D'autres fonctions de communication émergent. Elles élargissent le volet promotionnel du marketing, englobant divers outils de communication, chacun plus efficace que l'autre. Même si la publicité occupe toujours la part la plus importante d'un programme plus large de communication dans les entreprises, cette tendance décline depuis quelques années. Et pourtant, l'encombrement publicitaire continue et se développe. Votre concurrent annonce dans les pages jaunes, à la radio ou à la télévision et hop ! vous suivez le pas !

Elle n'est pas l'arme absolue du succès

Tout particulièrement dans un marketing intelligent, la publicité n'est pas l'arme absolue du succès. Beaucoup ont connu l'échec pour avoir trop compté sur elle, y engageant des budgets faramineux. Dans un marketing intelligent, la publicité est un élément d'une stratégie générale. Le marketing intelligent s'assure de diversifier les divers outils de marketing au maximum, mais surtout d'appliquer des approches distinctives dans l'utilisation de ces outils.

La publicité dans un marketing intelligent

Une entreprise qui veut vraiment appliquer le marketing intelligent dans sa publicité s'assure habituellement avant tout d'une communication de masse. Elle s'assure que le message est diffusé à grande échelle, même s'il vise à cibler une clientèle précise. Parce que le marketing intelligent compte énormément sur la publicité, autant pour viser les clients potentiels que pour favoriser le bouche à oreille à l'aide de la publicité de masse. À cette règle, il existe des exceptions, telles les entreprises qui visent seulement la clientèle de leur quartier ou d'une communauté culturelle particulière.

Avec le marketing intelligent, la publicité est ce qu'elle doit réellement être, c'est-à-dire subjective. De plus, ses messages sont brefs, denses et très sélectifs. Elle cherche avant tout à être attrayante, convaincante et séduisante. Elle contient autant d'arguments que possible.

La force de la publicité

Le marketing intelligent reconnaît le pouvoir inouï de la publicité. Il la recommande vivement à ceux qui en ont les moyens comme à ceux qui n'en ont pas. Beaucoup d'entreprises paient leur publicité à crédit. Ceci leur permet de se lancer lorsque certaines règles sont bien appliquées dans ce domaine. Dans certains cas, le marketing intelligent remplace la publicité par les outils sans frais, suggérés tout au long de ce livre. Par exemple, cela vaut pour les professionnels tels que les avocats, les comptables, les conseillers généralistes en affaires, les entrepreneurs qui viennent de se lancer en affaires et qui veulent d'abord tester leur formule, et les inventeurs.

La force de la publicité tient du fait qu'elle permet de s'adresser à des milliers, voire des millions de clients potentiels, chez eux ou tout au long de leurs déplacements. C'est la communication de masse. Elle fait sortir de l'anonymat des produits et des services qui tendent à se ressembler de plus en plus. Elle les rend éligibles dans un marché où la compétition est de plus en plus vive. Sa plus grande force, c'est qu'elle travaille pour nous en permanence pendant que nous sommes assis dans le confort de notre bureau. Nous créons nos textes publicitaires ou les faisons faire par une firme spécialisée, nous élaborons le calendrier et donnons notre accord aux médias sélectionnés, directement ou par l'entremise de l'agence de publicité avec laquelle nous travaillons. Et le tour est joué ! La machine est vite mise en marche. Dans le cas des autres moyens de communication, le travail est plus complexe et plus long. Il requiert beaucoup de patience et de temps.

Le marketing intelligent a conscience de tout cela. Il sait que la publicité possède des forces inégalables, mais il sait aussi qu'elle n'est pas irremplaçable, et surtout que, mal utilisée, elle peut nuire autant qu'elle peut aider.

La publicité dissimulatrice

La publicité dissimulatrice est l'ennemi numéro un du marketing intelligent. Chercher à dissimuler une publicité sous des formes plus anonymes, à lui donner les fausses apparences de l'information et de l'objectivité, c'est tromper le consommateur et rendre un mauvais service à la publicité. La publicité trompeuse tue la publicité.

La vraie publicité est faite de séduction

Le marketing intelligent définit la véritable nature de la publicité comme étant la séduction. Son but est d'attirer la sympathie. Elle est donc optimiste. Elle suit surtout les modes et elle s'adapte à sa clientèle cible pour mieux la séduire.

Son premier but : attirer la clientèle

Avec le marketing intelligent, le premier but de la publicité, c'est d'attirer la clientèle pour vendre des idées, des produits, des services.

Son rôle et sa raison d'être

Beaucoup se trompent sur le rôle de la publicité et sa raison d'être, si bien que nous voyons souvent des erreurs qui finissent par coûter cher à leurs auteurs. En voulant être objective, la publicité perd son âme. En apparaissant surréaliste, elle perd sa crédibilité. Et pourtant, ce sont les deux erreurs les plus fréquentes en publicité. Celle-ci ne peut être réaliste. Elle n'a sa raison d'être que dans l'exagération. Elle embellit la réalité, mais elle ne doit pas tromper. Elle doit être agréable, légère, vivante.

Le marketing du plaisir

La question est de savoir pour quel marketing opter en matière de publicité. Le marketing du plaisir est sans doute le plus intelligent et celui qui assure les meilleurs résultats. Mais qu'est-ce que le marketing du plaisir en matière de publicité ? C'est tout simplement le marketing qui plaît, qui procure de l'agrément, qui distrait, divertit. Il est axé sur trois éléments fondamentaux :

1. La créativité ;
2. La simplicité ;
3. La surprise.

Dans un marketing intelligent, chaque texte publicitaire doit répondre à ces trois critères, sans exception.

Le danger de l'humour

Il est important de bien faire la part des choses. Le marketing du plaisir n'est pas nécessairement celui de l'humour. La nuance est ici bien mince, ce qui ouvre la voie à bien des erreurs. L'humour est un terrain miné. Nul doute qu'il provoque un effet catalyseur et stimule le plaisir, mais il peut aussi provoquer un effet négatif. Le moyen le plus sûr de le réussir est de le confier à des spécialistes si vous avez les moyens financiers pour le faire. Car ce qui est amusant pour une personne peut ne pas l'être pour des dizaines d'autres !

Sommes-nous inondés par la publicité au point d'en être saturés ?

Oui, nous sommes inondés par la publicité, mais nous en redemandons souvent. Parce que la publicité fait à présent partie de nos mœurs. Nous la boudons par moments, nous y revenons encore plus assoiffés. Il s'agit de l'effet marketing. En un mot, nous aimons la publicité. Plus il y en a, plus nous en voulons. En fait, nous n'en avons jamais assez, même si nous crions parfois : «Trop, c'est trop!» La qualité des campagnes publicitaires s'est améliorée au fil des années. C'est que le marketing du plaisir amène le plaisir. Les jeux des mots amusent et enrichissent l'esprit. Il n'en demeure pas moins que certaines publicités irritent le récepteur, tout comme certaines stratégies publicitaires sont jugées inacceptables, comme celle de placer des publicités lors de la diffusion d'un film à la télévision. C'est ce que rejette le marketing intelligent, et c'est ce que rejettent les consommateurs. En somme, toute stratégie publicitaire orientée vers une intrusion ou une manipulation risque fort d'être rejetée et doit donc être évitée.

La bonne perception des messages

Dans un univers saturé de publicités de toutes sortes, le marketing intelligent, c'est celui qui s'assure de la bonne perception des messages. Car la perception entraîne l'interprétation. Celle-ci provoque l'attitude qui elle, se traduit par un jugement, insensible, négatif ou positif. Le jugement entraîne des décisions. Pour minimiser le risque des fausses interprétations qui pourraient conduire à des décisions négatives, le marketing intelligent préfère les messages courts aux messages longs, que ce soit dans la presse, à la radio ou à la télévision. En s'y conformant, il tient aussi compte du fait qu'il ne faut pas abuser du temps des autres, une règle primordiale dans un monde à haute vitesse. Le marketing intelligent reconnaît d'autre part l'importance de répéter son annonce plusieurs fois pour en tirer profit, s'assurant ainsi de la bonne perception et consolidation du message.

Une fois ne suffit pas... ni deux... ni trois...

La règle d'or, c'est la répétition. Ceux qui ont de l'expérience savent bien que, dans 99 % des cas, une seule publicité ne donne pas grand-chose, ni deux ni trois, et qu'il faut jusqu'à sept messages consécutifs pour éveiller l'attention du consommateur. C'est tout simplement la règle de sept.

Mais le marketing intelligent pousse la règle de sept à dix. Il veut non seulement aller toujours plus loin que ses concurrents, mais se démarquer dans un monde inondé par la publicité.

Trois éléments fondamentaux

Des recommandations ci-dessus, il en découle trois éléments fondamentaux dans lesquels se cantonne une publicité issue d'un marketing intelligent. Les voici :

1. messages courts

Les messages courts sont les mieux pensés. Ils résument souvent toute la vie de l'entreprise, son histoire, ses forces, ses moyens, ses objectifs, sa mission, sa philosophie. Ils reflètent une force tranquille. Ils donnent bonne impression. Ils respirent la réussite. Ils expriment notre côté direct, pratique et simple. Ce sont ceux qui réussissent le mieux.

2. Annoncer plusieurs fois

On n'insistera jamais assez sur la nécessité d'annoncer plusieurs fois. Plusieurs fois ne signifie pas 2, 3 ou 4 fois, mais 10, 15, 20 fois et plus. La plupart des plans publicitaires échouent alors qu'ils étaient sur le point d'amorcer leur victoire.

3. Un slogan qui verrouille la marque dans l'esprit du consommateur

Le slogan est une formule concise et frappante conçue spécialement pour la publicité. Un slogan doit être concis et frappant. Fait d'accents, de couleurs, de musique, il ne fait que renforcer l'impact qu'il a sur nous.

La formule publicitaire

Bonne communication égale bonne attention égale bonne persuasion

La question que se posent tous les spécialistes en publicité lorsqu'ils ont à créer une publicité intelligente est la suivante : *Comment persuader ?*

Dans un marketing intelligent, toute publicité doit être informative pour être persuasive. Mais l'information doit être autant objective que subjective. Elle passe donc par une bonne communication qui entraînera nécessairement une bonne attention. Elle valorise, d'une part, une approche rationnelle, qui cherche à convaincre le consommateur par des faits, des démonstrations, des preuves, et, d'autre part, subjective, qui cherche à embellir la situation. Le côté subjectif doit être prépondérant. Une publicité à court d'arguments et qui ne parvient pas à séduire est une publicité boiteuse ou malade. Elle doit miser sur les cinq besoins humains les plus importants depuis l'âge de pierre :

– Besoin de s'accomplir ;

– Besoin d'estime ;

- Besoin d'appartenance ;
- Besoin de sécurité ;
- Besoins psychologiques.

Les trois axes du positionnement publicitaire

C'est autour de trois axes principaux que le marketing intelligent positionne toute publicité. Ce sont :

- L'aspect plaisir ;
- L'aspect fonctionnel ;
- L'aspect utilitaire.

L'effet pub

L'influence des campagnes de publicité et de relations publiques auprès du public est incontestable. Les réactions peuvent être surprenantes. Pour avoir un impact fort et générer une croissance des ventes, une campagne doit être sympathique, mais surtout, elle doit attirer l'attention. La publicité doit être soutenue par du concret.

Tous les experts vous le diront : les entreprises qui ont le mieux réussi partout dans le monde doivent leur succès à une combinaison d'outils de marketing et non pas à un seul outil tel que la publicité. Ces autres outils, ce sont, par exemple, l'accueil, la variété des produits ou des services, l'emplacement, l'aménagement, etc.

Il n'en demeure pas moins que, pour ces mêmes entreprises, la publicité médiatique est souvent le point déclencheur, stimulé par une panoplie de moyens promotionnels parallèles.

Il n'est pas nécessaire de disposer des budgets faramineux de certaines entreprises pour atteindre un effet pub spectaculaire. Certaines publicités fort modestes ont permis à des entreprises de se démarquer et de prendre une place de choix sur le marché.

La poussée des concurrents force souvent les entreprises à revoir leur publicité et à produire moins de campagnes d'images et plus de campagnes promotionnelles pour produire l'effet visé. Parfois, c'est le contraire qui se produit. Chaque cas est unique et doit être évalué à part. C'est là où le marketing intelligent intervient pour faire la différence et prendre les décisions judicieuses qui font toute la différence.

Certaines publicités choisissent de faire valoir le nom de l'entreprise au détriment des marques qu'elle offre. On dit alors que l'entreprise réalise de la publicité corporative. D'autres choisissent de mettre en vedette leurs marques et non leur entreprise. C'est un autre choix. L'effet pub pourrait s'en ressentir. Là encore, le marketing intelligent sélectionne ce qui convient le mieux aux objectifs et aux besoins de l'entreprise, mais aussi au contexte du marché.

En règle générale, une campagne qui peut avoir un effet positif est celle qui parvient à se faire vite remarquer parce qu'elle n'est pas habituelle, surtout dans son secteur d'activités. Elle aura ainsi atteint l'effet pub nécessaire dans un marketing intelligent.

Effet prolongé ou éphémère ?

Le tout est de savoir si l'effet sera prolongé ou éphémère. Un bon nombre d'entreprises sont tellement branchées sur l'effet pub lui-même qu'elles négligent d'évaluer à l'avance son potentiel de durabilité. Et pourtant, il s'agit d'un aspect qui pèse lourd dans le succès ou l'échec des *aventures publicitaires* d'une entreprise.

Si le fait d'attirer l'attention provoque un effet pub, il en faut davantage pour que celui-ci soit prolongé. À une époque où des changements constants interviennent à tous les échelons de la vie professionnelle et sociale, le prolongement de l'effet pub est devenu une nécessité.

Certaines entreprises ralentissent la publicité corporative durant quelques années sans toutefois lésiner sur les relations publiques. Ces dernières peuvent avoir un effet puissant, particulièrement lorsque l'entreprise est capable d'annoncer de bonnes nouvelles aux consommateurs, comme une non-augmentation des prix, des taux préférentiels à ses clients, de nouveaux produits ou services utiles, des forfaits spéciaux, etc. Des nouvelles comme celles-là ont autant d'impact, si ce n'est plus, que n'importe quelle campagne publicitaire. Certaines entreprises, elles, ne font presque pas de publicité. Elles considèrent n'en avoir pas besoin. Les journalistes les appellent régulièrement et chaque fois elles ont de bonnes nouvelles à leur annoncer. Les adeptes du marketing intelligent poursuivent leur publicité médiatique (presse, radio, télévision), tout en annonçant leurs bonnes nouvelles par le biais des relations publiques, provoquant ainsi un effet pub prolongé.

Le matraquage publicitaire

La répétition fréquente et systématique d'un message est-elle nécessaire pour prolonger l'effet pub au maximum? Les puristes de la publicité décrient le matraquage publicitaire. Pour beaucoup de consommateurs, cela représente le mauvais goût. Subir une campagne publicitaire peut être insupportable pour certaines personnes. Les loups du marketing voient cela d'un autre œil. Pour eux, c'est pub, pub, pub et pub, et encore et toujours de la pub. Ils sont partisans des gros moyens pour atteindre les gros résultats. Ils ne peuvent concevoir la publicité sans de réels investissements et un engagement suprême. Car, disent-ils, à quoi sert d'avoir de grandes idées et de bons produits ou services si vous n'êtes pas disposé à les exhiber en force. Ils conseillent même aux puristes de retourner à l'école de la publicité. Les vues sont partagées à ce sujet. Le débat est permanent.

Le marketing enveloppant

Le marketing intelligent fait la différence entre un marketing enveloppant et un marketing harcelant.

Un marketing enveloppant, c'est le contraire d'ennuyeux et de repoussant. Le marketing enveloppant est captivant, charmant, enjôleur et séduisant. Il est varié. Ses contenus sont variés, mais son message est toujours le même. Il vous enveloppe : bulletin de nouvelles de l'entreprise, publicités par courriel de temps en temps, vœux des fêtes de fin d'année, coups de téléphone, souscription à un programme particulier, etc., tout en vous laissant toujours le choix de ne pas faire partie de ce jeu. Il séduit à force de grâce.

Un marketing harcelant risque d'étouffer. Il vous soumet sans répit à des matraques publicitaires, le plus souvent identiques dans leurs contenus comme dans leurs moyens. Il n'apporte ni nouveauté, ni variété. Il est monotone et fatigant. Il est égocentrique et n'apporte rien aux autres.

Le marketing intelligent favorise le marketing enveloppant. Il se sert à de très rares occasions du marketing harcelant, mais se retire vite de ce jeu avant d'en faire partie. Il en a besoin pour lancer rapidement un nouveau produit ou service et mettre tous les projecteurs sur lui. Une fois l'objectif atteint, il se retire de ce type de marketing et poursuit son marketing enveloppant.

La publicité la plus puissante

Le marketing intelligent cherche à faire de chacune de ses publicités la publicité la plus puissante. Pour y arriver, il applique la théorie du changement de perception. En changeant la perception du public, il provoque un changement d'attitude.

Une publicité réussie

Si une publicité puissante est capable de créer un revirement commercial en votre faveur, une publicité réussie est celle qui vous permet de réaliser vos buts commerciaux et financiers.

Dans un marketing intelligent, une publicité réussie est le résultat d'une combinaison d'éléments, l'un aussi important que l'autre : des arguments puissants, un contenu solide, un style, le *timing*, une adaptation aux mentalités de la clientèle cible. Une publicité réussie est celle qui résulte en une réceptivité élevée, mais surtout qui permet l'atteinte des objectifs.

Toute personne qui applique le marketing intelligent connaît les déterminants du succès publicitaire : il faut atteindre la cible, la couvrir de manière efficace, c'est-à-dire par la répétition nécessaire et, au moment pertinent, la couvrir de manière économique, au moindre coût. Pour y arriver, il faut une stratégie.

La stratégie de communication
et ses deux questions les plus intelligentes

Dans un marketing intelligent, la stratégie de communication en matière publicitaire répond aux les deux questions suivantes :

1. Qui veut-on atteindre ?
    –   Qui est la clientèle cible ?
    –   Quelles sont ses références culturelles ?
    –   Quels sont ses besoins ?
2. Comment pense-t-on y arriver ?
    –   Avec quelle stratégie publicitaire ?
    –   Comparative ?
    –   Imitative ?
    –   Intensive ?
    –   De fidélisation ?

- De différenciation?
- Une stratégie visant à familiariser le public avec tel produit ou tel service?
- De clarification?
- Avec quel budget?
- Avec quels médias?
- Avec quel calendrier?

Les deux choix les plus difficiles

Pour le publicitaire, les deux choix les plus difficiles sont ceux des médias et du positionnement à l'intérieur des médias choisis.

Le choix des médias à utiliser est une décision stratégique. Presse quotidienne nationale? Presse quotidienne régionale? La crédibilité du média est aussi importante. Dans un marketing intelligent, on prend soin de choisir des médias connus pour minimiser les risques.

Quant au positionnement à l'intérieur des médias, le marketing intelligent privilégie habituellement les pages de droite.

La règle générale du marketing intelligent

La règle générale du marketing intelligent, c'est de faire des choix de support selon les moyens financiers de l'entreprise. La publicité au cinéma, à la radio, à la télévision doit généralement demeurer l'apanage de ceux qui peuvent consacrer à leurs publicités des budgets importants et de longue durée.

La création publicitaire

L'aspect créatif est intimement lié au marketing intelligent. Pour faire de la bonne publicité, il faut de la création. Un message peut être bien fait, clair et précis, mais faire preuve d'une importante faiblesse: un certain manque de créativité. Il n'y a pas de méthode particulière pour trouver des idées nouvelles, surtout des bonnes. Mais on peut favoriser la créativité et se doter d'une culture créative. Cela peut être effectué par des lectures, des observations, des échanges, des visites de foires commerciales, des voyages. La création, si elle est bonne, produit des résultats immédiats. Une bonne publicité créative doit être **claire**. L'offre doit être **simple, facile à comprendre, lisible** et **convaincante**. Il faut qu'elle **explique** et **argumente**, en plus d'être **attrayante**. Il faut rendre le produit ou le service **désirable**, rendre l'offre **alléchante**. Aussi faut-il **valoriser le client potentiel**. Et, pour terminer, **l'offre** doit être **limitée dans le temps**.

L'idée qui peut faire décoller

Une idée exige souvent beaucoup de travail, de sueur et de temps, en publicité, comme dans d'autres domaines. Il faut sans cesse tout recommencer. C'est un exercice périlleux et sans pitié. Toute campagne publicitaire doit reposer sur une grande idée, sur des faits. Elle doit être agréable, sympathique, simple, séduisante et distinctive. Elle doit donner l'idée de faire quelque chose. Sinon, elle échouera.

En quête de l'idée géniale

Les idées naissent de façon parfois magique. Certes l'expérience et la culture publicitaire permettent de la structurer. L'idée peut servir de point de départ au travail de création. Beaucoup d'idées peuvent sembler bonnes. Le plus dur, c'est de les évaluer et de les valider. Le marketing intelligent s'assure avant tout qu'une idée est innovatrice, simple et fonctionnelle. Il cherche ensuite à en faire l'idée la plus géniale en mettant en œuvre tous les moyens promotionnels propres au marketing intelligent.

La peur du jamais vu

On a souvent peur d'oser. Le marketing intelligent est un marketing fait de prudence, mais aussi d'une certaine dose de risque. Sa tactique est simple : tester. Il faut toujours sonder les opinions des autres, tester puis valider. Le marketing intelligent est conscient du vieil adage *Qui ne risque rien n'a rien*, mais il possède aussi sa devise : *Qui ne teste pas risque gros*.

Doit-on donner beaucoup d'informations ?
Faut-il faire un texte court ou long ?

Voici deux questions souvent posées. En fait, une publicité peut donner une information avec un texte court ou parfois sans texte. La publicité n'est pas informative dans le vrai sens du terme. La publicité n'est pas toute l'*information*, mais celle-ci est un élément important et elle fait vendre. Les avis sont partagés sur l'importance qu'on peut donner au texte dans une annonce. Les consommateurs d'aujourd'hui veulent en savoir le maximum tout de suite. Faire un texte long peut s'avérer un moyen très puissant, à condition qu'il soit bien fait. Les bons messages sont lus et permettent de prendre une décision assez rapidement. Ne vous effrayez donc pas des longs messages. D'autres vous diront que c'est gaspiller le temps des lecteurs ! Toutefois, à moins qu'ils ne connaissent bien le produit ou le service annoncé, les consommateurs ont besoin de s'informer au maximum.

Ceci dit, pour certaines publicités, un mot, une phrase ou une image en disent long !

Dans un marketing intelligent, on prend soin de s'assurer des besoins et des objectifs de l'entreprise, mais surtout du contexte qui entoure la question. L'essentiel, c'est de ne pas se figer dans des préjugés visant à bannir les publicités étoffées, qui sont non seulement souvent utiles, mais nécessaires.

Par exemple : se suffire d'un texte publicitaire de deux ou trois lignes pour une nouvelle crème de visage à lancer par une nouvelle entreprise serait une erreur de marketing évidente. Les consommateurs ne connaissent ni l'entreprise, ni la marque : ils devraient donc être un peu plus informés, plus particulièrement sur le produit, son origine, son contenu, ses avantages par rapport aux autres produits existants sur le marché.

Vos meilleurs arguments

Ne gardez pas vos meilleurs arguments pour la fin. Commencez par des arguments forts pour retenir l'attention de vos lecteurs. Maintenez la cadence. Répétez un point important. À la fin, surtout, appelez à l'action. Les gens intéressés veulent savoir quoi faire. Il faut être direct, aller droit au but. Dès le début, proposez un avantage important. Insistez sur votre atout principal. Dites clairement au lecteur la proposition que vous lui faites. Appuyez ce que vous dites par des preuves. Dites au lecteur ce qu'il risque de perdre s'il n'agit pas vite. Dans votre conclusion, formulez à nouveau les avantages principaux que vous proposez. Incitez le lecteur à l'action immédiate.

Dans un marketing intelligent, le message publicitaire doit être une suite d'arguments qui appellent à une action urgente permettant de conclure une vente.

Contrôler les résultats

Une des clés de la réussite, c'est de contrôler les résultats, pour rectifier au besoin les décisions. Beaucoup d'entreprises n'ont souvent pas le temps de contrôler les résultats. Dans ce cas, il vaut mieux ne pas investir du temps et de l'argent dans la publicité. Car pourquoi le faire si on n'a pas le temps de vérifier son impact ?

Comment réussir un lancement

Il est fort important, avec le marketing intelligent, de réussir le lancement d'un produit ou d'un service. Celui-ci est décisif pour l'avenir de l'entreprise et de ses produits ou services. Positionner à nouveau un produit ou un service peut être très long et très coûteux par la suite. Car rien n'est plus difficile que de renouveler l'intérêt.

Que faut-il donc pour un bon lancement ?

– Un excellent produit ou service ;
– Un positionnement hors pair ;
– Une communication dont le ton est dynamique, original et approprié ;
– Beaucoup d'arguments ;
– Une philosophie originale : elle a pour principes de base de transformer d'éventuelles imperfections en qualités ;
– L'innovation : concours, cadeau utile ou escompte élevé aux premiers acheteurs, réception d'ouverture ;
– De la pérennité : stratégie de communication privilégiant un style de communication moderne à tendance durable ;
– Du marketing intelligent dans tout ce qu'on fait !

Le lancement de la SNCF

La campagne publicitaire du transporteur français est née de l'idée de vitesse. C'était l'argument le plus convaincant et le plus logique à confronter aux avantages de la voiture. La sécurité venait s'y ajouter : « Pour faire 130 km/h de moyenne, sortez de la route », « Ici, nous passons à 120 km/h sans anti-brouillards. » Le confort a aussi été de la partie : « Levez le pied. »

Les sept étapes d'une publicité de marketing intelligent

1. Énoncer un fait hors de tout doute.
2. Attirer l'attention tout de suite par ce qui intéresse les autres et non par ce qui vous intéresse.
3. Exagérer un peu, pourvu que cela ne cause pas de tort. Contrebalancer par une dose d'informations.

4. Motiver les autres à faire quelque chose : visiter votre magasin, vous téléphoner, remplir un coupon, écrire pour obtenir une information, demander le nom du produit, faire un test, venir à une démonstration gratuite... Vous devez dire aux gens exactement ce qui correspond à leur besoin.

5. S'assurer que le tout est communiqué clairement. Pas d'ambiguïté. Cent pour cent de votre public doit saisir le message. Si une personne ne le saisit pas, c'est un problème. Visez 0 % d'ambiguïté !

6. Évaluer les résultats de votre publicité.

7. Recommencer autant de fois qu'il le faut.

Le pouvoir magique des petites annonces

Les petites annonces vous font gagner cette régularité essentielle en marketing. Elles sont idéales pour susciter la confiance des clients. Elles ont un pouvoir magique pour qui sait les utiliser. Beaucoup d'entrepreneurs et d'entreprises de toute taille ont recours aux annonces classées : des écoles, des universités, des professeurs, des courtiers, des hôtels, des motels, des agences de voyage, des agences d'emploi, des voyagistes, des salons de coiffure, etc. Plusieurs les utilisent depuis plus de dix ans. Ils ne dépenseraient pas d'argent si cela ne leur rapportait pas des retours intéressants. Le meilleur endroit pour placer les annonces classées reste les journaux quotidiens. Beaucoup de gens lisent les annonces classées chaque jour. Vérifiez les annonces. Voyez celles qui attirent l'attention. Vérifiez les catégories qui attirent l'attention et qui s'adaptent à vos besoins. Le marketing intelligent prend un soin particulier à dire ce qu'il faut dans une annonce classée et à éviter de dire ce qu'il ne faut pas dire.

Quelques grandes lignes :

– Assurez-vous d'avoir un titre ;

– Assurez-vous que le titre est en capitales ;

- N'utilisez pas d'abréviations, sauf si vous êtes absolument sûr que tout le monde les comprend ;
- Choisissez la section avec grand soin ;
- Assurez-vous de choisir la bonne catégorie. Certains journaux ont des catégories que d'autres n'ont pas ;
- Autant que possible, soyez clair dans votre message ;
- Valorisez les faits ;
- Essayez d'être la première annonce dans la rubrique visée. Il suffit habituellement de commencer votre mot en utilisant la première lettre de l'alphabet ou une étoile dans le cas de certaines publications. Si un concurrent a opté pour l'étoile avant vous, allez-y pour deux et ainsi de suite.

Certains annonceurs restent 10 ans avec le même message dans les annonces classées, au même endroit, en gagnant une somme d'argent substantielle. Vous pourrez changer lorsque vous penserez que cela en vaut vraiment la peine.

Surtout, éliminez les médias qui ne donnent aucun résultat.

Le pouvoir des slogans publicitaires

Les slogans publicitaires ont un pouvoir extraordinaire en marketing. Dans un marketing intelligent, on choisit son slogan avec le plus grand soin. On prend tout son temps pour le faire. Il y a des slogans qui prennent des mois et des mois avant d'être choisis, mais qui durent tout au long de l'existence d'une entreprise.

Recommandation du marketing intelligent

Cet aspect du marketing qu'est la publicité comporte une foule de détails. Chaque volet a son importance et tous les conseils fournis dans ce chapitre sont pertinents. Cependant, s'il n'y avait qu'une seule recommandation que le marketing intelligent devait effectuer, ce serait la suivante : six petites publicités consécutives dans un journal valent bien plus qu'une grande.

Quelques recommandations supplémentaires

- Faites en sorte que la réponse soit toujours oui;
- Attirer l'attention par un titre fort;
- Faites savoir aux gens les raisons les plus convaincantes pour lesquelles il faut qu'ils achètent chez vous;
- Ne placez pas des petites publicités si votre concurrent en place des grandes;
- Faites en sorte que votre pub ne soit pas ennuyeuse, mais dynamique.

Principe 15

La publicité est un domaine très délicat dans lequel il faut tout envisager avec minutie : des moyens de conviction aux moyens de séduction, tout en valorisant les relations publiques.

FAIRE GRAND AVEC PETIT

Le manque de budgets ou d'infrastructures adéquates ne doit pas empêcher des entrepreneurs de déployer un marketing dont l'envergure dépasse leur capacité.

Comment réussir à faire valoir un nouveau produit ou service malgré un petit budget?

Comment faire grand avec petit? Comment en faire plus avec moins?

Les grandes idées valent souvent plus que les gros budgets

Lorsque la compagnie Gillette a voulu lancer son nouveau rasoir à main sur le marché, elle a eu l'idée extraordinaire de l'offrir gratuitement. Elle put ainsi vendre les lames rentrant dans le manche, puisque l'un n'allait pas sans l'autre. Elle savait que ce serait le meilleur moyen de faire valoir son nouveau produit à petit budget. Le succès fut remarquable.

Pour faire valoir son eau embouteillée aux États-Unis, Naya a été distribuée par Coca-Cola, profitant ainsi d'un réseau de distribution efficace et d'une excellente visibilité. La perte de son distributeur américain entraîna la perte de l'entreprise. Celle-ci n'a pas réussi à construire un réseau de vente comparable à celui de Coca-Cola. Les partenariats stratégiques sont une des grandes idées qui valent souvent plus que les plus gros budgets.

Les associations caritatives et professionnelles sont un autre exemple qui montre bien comment on peut réussir à faire valoir un produit ou un service malgré un petit budget. La plupart débutent avec un budget pratiquement inexistant. Elles ont au départ une mission bien définie. Elles doivent ensuite chercher les idées pour mettre en place l'association et faire valoir leurs services avec petit budget. Aux idées viennent s'ajouter le potentiel humain. Ce dernier est d'une importance capitale : ce sont des hommes et des femmes qui mettent leur expertise, leurs différentes idées et leur temps au service d'associations en lesquelles ils croient.

Comment faire grand avec petit

Il y a plusieurs années, lorsque je représentais des écoles de langues au Royaume-Uni, pour les promouvoir et leur recruter des clients, il y en avait une qui faisait état de 20 écoles dans le monde, certaines étant annoncées sous des noms d'universités reconnues à l'échelle internationale. Avec le temps, je visitai presque tous les centres où se déroulaient les cours et les activités de cette école. En fait, celle-ci louait une ou deux salles dans chacune des universités annoncées et y tenait ses propres cours. Ainsi, elle profitait, et faisait profiter ses clients, des grandes infrastructures des campus universitaires. Je découvris ainsi les astuces de ce métier. Les plus grandes entreprises dans ce domaine, au Royaume-Uni, appliquaient le même système avec succès. Elles ont ainsi pu traverser toutes les crises de cette industrie et continuer de faire grand avec petit. Leurs bureaux étaient modestes. Lorsque je me rendais chez le président de l'un deux, il cherchait une salle de classe vide pour que nous puissions nous réunir. Chaque espace était exploité pour générer des revenus immédiats. Néanmoins, lorsqu'il m'invitait à visiter ses centres dans les villes anglaises en dehors de

Londres, il venait me chercher en taxi à mon hôtel, situé au centre de la capitale, pour que nous nous rendions à la station de chemin de fer. Il achetait des billets de première classe. Il profitait de ce voyage en tête-à-tête pour me parler de son école et de la meilleure façon de la promouvoir. Il m'offrait le déjeuner et me raccompagnait à Londres jusqu'à mon hôtel. Non seulement il me traitait royalement, mais il me donnait des idées sur la manière de présenter ses programmes et ses services aux clients potentiels. Il me faisait aussi apprécier son pays et leurs gens. Ainsi, j'avais beaucoup de plaisir à travailler avec lui et je lui envoyais le plus grand nombre de clients. C'est cela le marketing intelligent! C'est cela faire grand avec petit!

Un autre géant de cette industrie, le plus fort de tous, exploitait une soixantaine de centres à travers la Grande-Bretagne, ce qui était phénoménal dans ce secteur d'activité. En fait, il était unique en son genre dans le monde. Il m'expliqua un jour son concept de projet pilote. Il louait de petits locaux dans diverses villes à travers le Royaume-Uni, à certaines périodes de l'année, et il y fournissait des cours d'anglais et des programmes d'activités à ses clients. Il annonçait soixante centres dans sa brochure. En fait, la plupart n'étaient opérationnels que lorsqu'il avait un groupe. Cette annonce puissante faisait en sorte qu'il arrivait à exploiter tous les centres qu'il annonçait.

Comment en faire plus avec moins

À une époque de ma vie où je commençais à réduire au maximum mes dépenses, je découvrais la force que chacun de nous a en lui: celle d'être capable d'en faire plus avec moins.

J'avais l'habitude de ne pas compter durant mes voyages d'affaires. Aussitôt arrivé à mon hôtel, j'ouvrais tout de suite le minibar dans ma chambre pour étancher ma soif. Puis, je mangeais une barre de chocolat. J'avais ensuite soif à nouveau. Je me servais donc une autre bouteille d'eau gazeuse, puis une troisième. Ces bouteilles sont tellement petites, dans les mini-bars des chambres d'hôtel, qu'il en faut plusieurs pour se désaltérer. Après quoi, j'effectuais quelques appels téléphoniques pour annoncer mon arrivée à mes divers contacts. Le lendemain, je répétais le même exercice. Le surlendemain, je remettais mon linge sale à la blanchisserie de l'hôtel. Le jour de mon départ, mes frais de bar, de blanchisserie et de téléphone se chiffraient au même montant que mes nuitées.

Lorsque l'argent se faisait plus rare, mais que je devais quand même voyager pour aller voir mes clients en Grande-Bretagne, je devais soudain composer avec une nouvelle réalité. Je pensai donc à comment j'allais réduire mes coûts au strict minimum. J'avais toujours l'habitude de prendre un taxi à l'aéroport à mon arrivée. Je me renseignai auprès d'une amie guide qui me fit envoyer une voiture de Londres au quart du tarif régulier. Rendu à mon hôtel, je déposai mes valises et me rendis à une épicerie toute proche, où j'achetai de l'eau embouteillée et des barres de chocolat bien moins chères que celles qu'on trouvait dans le minibar de ma chambre d'hôtel. Puis, j'achetai une carte de téléphone pour joindre mes contacts à l'aide d'un téléphone cellulaire que j'avais acheté en promotion à une cinquantaine de dollars et qui me sert durant mes voyages chaque année. Vive la nouvelle technologie! Enfin, je me rendis à une blanchisserie à deux pas de mon hôtel et j'y déposai mes chemises pour 10 fois moins cher qu'à l'hôtel. Ainsi, j'arrivai à boire plus et à me gâter davantage en petites mignardises, j'effectuai plus de contacts téléphoniques et j'eus mes chemises plus vite. Je pouvais séjourner plus longtemps et plus souvent en Angleterre, entreprendre plus de contacts, faire plus d'affaires et dépenser beaucoup moins.

Pour tirer le meilleur profit de mon séjour d'affaires et m'assurer d'un retour immédiat sur mon investissement, je privilégiais les commandes instantanées résultant d'un achat impulsif. Cela est habituellement très difficile dans ce pays car, chez les Anglais, tout est basé sur la réflexion. J'étais cependant bien préparé : arguments solides, présentation professionnelle, matériel promotionnel, formulaires de commandes prêts. Le marketing intelligent qui vise à faire plus avec moins tourne autour d'un principe essentiel : celui de faire en sorte que les clients achètent spontanément, et en ce sens, de mettre tous les moyens nécessaires pour que cela se produise.

Nous pouvons appliquer cette façon de faire dans tous nos projets.

Sortir des sentiers battus et cibler son action au maximum

Tous ceux qui en ont fait l'expérience et qui la font encore chaque jour vous le diront : une démarche teintée d'imagination et bien ciblée peut compenser des moyens monétaires limités. Lorsqu'on veut faire valoir un nouveau produit ou service malgré un petit budget, atteindre des objectifs de vente assez ambitieux, à l'aide d'une petite infrastructure (faire grand avec petit et faire plus avec moins), les choses ne sont pas aussi simples que cela. La règle du jeu consiste à trouver des idées, à amener le consommateur ou le client potentiel à faire un achat impulsif, mais aussi et surtout à réduire les coûts au maximum. C'est cela la recette du marketing intelligent pour faire grand avec petit.

Devoir composer avec un budget limité n'est jamais une tâche aisée

Heureusement, le monde dans lequel nous vivons permet une utilisation rationnelle d'outils et de moyens efficaces pour atteindre nos objectifs commerciaux. La haute technologie nous donne des possibilités remarquables, dont celles de produire du papier à lettres, des cartes professionnelles, du matériel promotionnel attrayant, au gré de nos besoins, à partir de notre ordinateur et d'une imprimante laser. Les moyens de télécommunications tels qu'Internet, le téléphone, dont les frais sont réduits de plus en plus, ainsi que le téléphone cellulaire, nous ouvrent la voie vers des communications rapides et peu coûteuses. Le bureau de l'avenir est désormais ambulant et sans frais.

Il y a aussi, par-dessus tout, le cerveau de l'être humain. Réfléchir, recueillir des impressions, proposer de nouvelles idées innovatrices : tout cela permet d'en faire plus avec moins, de faire grand avec petit, et de faire valoir un nouveau produit ou service malgré un petit budget.

Comment progresser sans débourser de l'argent pour la publicité

Il existe plusieurs façons d'augmenter ses ventes, de faire de l'argent, de réaliser des profits, sans dépenser un sou pour la publicité. C'est une simple question de cohérence et d'application.

La plupart des gens pensent avoir besoin de grandes campagnes de promotion ou de publicité pour accroître leurs ventes. La réalité, c'est que beaucoup d'idées de promotions et de publicités que l'on paie ne fonctionnent tout simplement pas.

D'autre part, un bon nombre de personnes misent sur un moyen promotionnel alors que vous verrez rarement une seule tactique faire grimper les ventes.

En fait, la capacité d'une entreprise de fournir un meilleur service et une valeur ajoutée représente sa plus grande publicité. Et cette publicité ne coûte rien. Elle exige des efforts et de l'imagination.

Plusieurs d'entre nous cherchons la boule de cristal magique pour résoudre tous nos problèmes. Les succès lents, mais réguliers, sont ceux qui sont les plus réels. Lorsque la racine d'un arbre est bien implantée, celui-ci est apte à grandir normalement sans devoir occasionner des frais d'entretien. Voici les six clés pour accroître vos ventes rapidement, sans débourser d'argent en publicité :

1. Maximiser votre base de données actuelle de clients potentiels.

   Les conférences, les événements de réseautage d'affaires, les foires commerciales, les invitations personnelles, les guides et répertoires, les séminaires de formation, les sites Internet sont d'excellents moyens pour maximiser votre base de données actuelle de clients potentiels.

2. Prenez grand soin de vos clients existants.

   Ils sont votre meilleure plate-forme commerciale. Ils vous connaissent. Ils ont fait affaire avec vous. Si vous les traitez bien et qu'ils ont d'autres besoins que vous pouvez satisfaire, ils feront appel à vos produits ou services. Ils diront du bien de vous devant d'autres. Notre meilleure publicité n'est-elle pas celle que nous font les autres ? Elle ne nous coûte rien. C'est pourquoi le peu qu'elle nous donne peut représenter beaucoup.

3. Obtenez des références.

   Les références possèdent une force de marketing remarquable. Créez un système pour bâtir une montagne de références que vous pourrez utiliser selon les circonstances. Plus celles-ci sont variées, mieux c'est. Ainsi, vous pourrez sélectionner à chaque fois celles qui conviendront le mieux à votre marketing du moment, et assurer une diversité de commentaires positifs sur votre entreprise, vos produits ou services.

4. Créez des forfaits.

   Les gens adorent acheter des forfaits. Ils sont plus faciles à acheter et la valeur est toujours plus élevée. Les gens sont toujours à la recherche de quelque chose de nouveau. Par exemple, donnez une carte de téléphone avec votre forfait.

5. Créez des valeurs ajoutées à votre offre.

   Par exemple : pour X dollars seulement en plus, vous obtenez... Les valeurs ajoutées ne s'expriment pas seulement en termes de dollars. Les avantages additionnels que vous êtes en mesure de fournir à vos clients, contrairement à vos concurrents, peuvent représenter beaucoup plus que toute offre monétaire.

6. Utilisez Internet.

Le site Internet n'est pas le seul moyen d'augmenter vos ventes. Il existe plusieurs autres techniques. Par exemple, celle de capturer des adresses de courriel de clients potentiels en organisant un concours, ce qui vous permet d'obtenir des contacts, ou encore offrez un abonnement gratuit à votre journal électronique, en fournissant un produit ou un service à titre gracieux, ce qui fera peut-être en sorte qu'on achète d'autres produits ou services de votre entreprise.

Toutes ces stratégies seront efficaces seulement si elles sont pratiquées sur une base régulière. La cohérence est la clé du succès dans ce domaine. Cela doit faire partie de la culture de votre entreprise. L'erreur fondamentale que commettent beaucoup d'entreprises, c'est qu'elles commencent à utiliser ces techniques lorsque leurs affaires commencent à ralentir.

Testez toute nouvelle initiative. Cela vous permettra d'apprendre beaucoup et d'éviter des erreurs.

Cinq règles d'or

1. **Analyser la concurrence**

Une bonne analyse de la concurrence permet à l'entreprise d'identifier clairement ses forces et ses faiblesses. Elle l'aide à évaluer les dangers qui la menacent, mais aussi les possibilités d'affaires qui l'attendent. Elle lui ouvre enfin les yeux sur les tendances du marché.

2. **Cibler la clientèle**

Il faut cerner avec le plus de précision possible la clientèle cible pour savoir à qui l'on s'adresse. Toutes les stratégies de marketing en dépendront.

3. **Définir le positionnement**

   Une fois l'analyse de la concurrence effectuée et la clientèle bien ciblée, il importe de définir le positionnement de l'entreprise ainsi que de ses produits ou services. Ce positionnement doit être clair et distinctif.

4. **Se distinguer**

   Il n'est d'autre moyen de faire face à des concurrents déjà en place, avec des moyens et des avantages souvent largement supérieurs, que de déployer une stratégie et des techniques de marketing distinctifs, créatifs.

5. **Corriger son tir**

   Il faut absolument évaluer les résultats de la stratégie et des techniques de marketing déployées et ajuster son tir rapidement s'il le faut. Il est important de se tenir prêt à effectuer tout ajustement qui s'impose.

Le minimarketing... pour faire plus grand avec plus petit

Son nom évoque ce qui est très petit, mais son impact est immense.

Il englobe un vaste choix d'outils, chacun pouvant être aussi efficace que l'autre.

En voici quelques-uns.

Lettres personnelles

Les lettres personnelles peuvent être très efficaces si elles sont bien écrites et bien présentées. De plus, elles sont peu coûteuses, à la portée de tous les budgets. Elles amènent surtout une touche personnelle. Pour atteindre son objectif de marketing intelligent, une lettre doit être *personnalisée* et non uniquement personnelle. Une lettre personnelle est adressée à une personne. Une lettre personnalisée tient compte des attentes et des besoins de son destinataire. Pour réussir à lui donner l'impact nécessaire, une lettre personnelle doit être aussi brève que possible. Elle ne doit pas dépasser une page. Cette page doit contenir toutes les informations nécessaires. Les paragraphes doivent être courts. Chaque paragraphe ne doit pas dépasser cinq ou six lignes. Il faut signer d'une couleur différente de celle de l'encre. Il serait bon d'inclure un post-scriptum avec votre point le plus important. Les gens lisent surtout le début et la fin ou n'importe quoi qui appelle à l'urgence. Un écrivain, André Breton, a écrit ceci: «Dans les lettres que je reçois d'elle, ce qui me touche le plus... c'est le post-scriptum.»

Le plus fort en marketing intelligent, c'est d'écrire un petit mot gentil à la main. Je me souviens, il y a plusieurs années, lorsque j'ai lancé mon projet de séjours culturels et linguistiques au Royaume-Uni, j'ai écrit aux ambassadeurs de Grande-Bretagne dans les pays où les ressortissants avaient besoin d'un visa pour l'Angleterre. Je leur demandais le soutien à mon projet de la part de leur ambassade. Le but était de faciliter l'obtention des visas pour les personnes s'inscrivant à notre programme. Parmi les réponses d'appui que j'avais reçues se trouvait celle d'un consul qui me disait que son ambassadeur lui avait transmis ma lettre avec ses recommandations pour appuyer mon projet. Je m'étonnais de constater que le consul avait écrit à la main avec un stylo de couleur bleue «Cher Monsieur Aoun» au début, et «Sincèrement vôtre», à la fin. Je me renseignai à ce sujet auprès du directeur anglais que j'avais engagé pour ce projet, et qui était diplômé de l'université d'Oxford, en Angleterre. Il m'expliqua qu'il s'agissait d'une touche personnelle et d'une marque de respect que le consul avait tenu à me témoigner. Je trouvais cela extraordinaire. Cela renforça ma motivation à promouvoir le Royaume-Uni.

N'importe quelle personne saura écrire une lettre standard. Rares sont les gens qui savent atteindre le cœur d'une personne dans une lettre. La lettre personnelle, dans un marketing intelligent qui veut faire plus grand avec plus petit, c'est celle qui sait atteindre le cœur et l'esprit, celle qui dégage une chaleur humaine, une marque de sympathie et de respect, celle qui sait motiver. Une page suffit pour faire tout ce travail, mais son impact est fort et durable.

Vous pensez sans doute que tout cela prend du temps. Mais n'est-il pas préférable d'entreprendre une bonne initiative en marketing qui ne coûte presque rien et qui donne des résultats exceptionnels que d'en entreprendre plusieurs, qui coûtent plus cher, mais qui donnent des résultats ordinaires?

Le suivi

Peu importe à quel point votre lettre personnelle est motivante, vous en doublerez certainement l'efficacité en écrivant une autre lettre dans les deux semaines qui suivent ou en téléphonant à la personne à qui vous l'aviez envoyée. La deuxième lettre doit être plus brève. Elle doit être en grande partie un rappel de votre lettre originale. Il faut aussi qu'elle apporte une nouvelle information et davantage de raisons de faire affaire avec vous. Le suivi par téléphone doit se référer à votre lettre. Demandez si la personne l'a bien reçue. Vérifiez si elle l'a lue. Parlez des points forts. Il en est de même pour le marketing dans son ensemble. Peu importe à quel point il est puissant, sans un suivi adéquat, il s'affaiblit.

La confiance

Le marketing intelligent mise beaucoup sur la confiance. Il reconnaît son rôle exceptionnel. Il la place en priorité. Avec elle, on peut faire plus grand avec plus petit. Le marketing intelligent place la confiance en premier lieu, la qualité en second lieu et le prix en troisième lieu. Il n'a pas tort, car les gens ont besoin d'avoir confiance en vous et en votre entreprise avant de se pencher sur la qualité de votre produit ou de votre service. Après quoi, on vérifiera si le prix convient.

Je fais des affaires sur quatre continents. Je suis souvent étonné de voir comment des gens d'affaires chevronnés, qui dirigent leur entreprise avec succès depuis plusieurs années, font affaire avec moi à partir d'informations de base que je leur fournis sur un projet à réaliser. Ils me paient longtemps à l'avance. J'en ai conclu, au fil des années, que ce qui poussait les gens à travailler avec nous, c'est avant tout la confiance que nous leur inspirons. Cela peut arriver à la suite d'un entretien téléphonique de cinq minutes, après une brève rencontre ou l'envoi d'un courriel de présentation.

Parmi les programmes et services que j'offre à mes clients, il en est un qui s'appelle Voyages promotionnels. Il s'agit de voyager pour des entreprises afin que j'effectue des contacts pour eux et que je puisse négocier des contrats dans un marché quelconque. Pour promouvoir ce programme, j'envoie un courriel aux entreprises du Canada et à d'autres à travers le monde. À la fin de ce courriel, d'environ deux pages, se trouve un formulaire de réservation. Les frais de participation à ce programme sont de quelques milliers de dollars. Je reçois ainsi des réservations du Canada, des États-Unis et d'Europe. Mes clients me transfèrent l'argent environ deux mois avant mon voyage. Beaucoup ne me connaissent pas et font affaire avec moi pour la première fois. Il ne peut y avoir une raison qui les pousse à prendre une telle décision monétaire, outre le fait que la confiance en mon programme et dans le sérieux qu'offre mon entreprise. Cette idée, ils se la font à travers le contenu de mon courriel.

C'est dire l'importance de l'écrit et du suivi qui entraîne la confiance, puisque je ne me contente pas d'envoyer un seul courriel, mais un deuxième, puis un troisième, en guise de dernier rappel.

La confiance, c'est une lourde responsabilité à porter pour les gens qui la reçoivent. Il faut s'en montrer digne en donnant le meilleur de soi-même. C'est un des moyens les plus efficaces du minimarketing pour faire plus grand avec plus petit. Les gens, lorsqu'ils vous ont connu, lorsqu'ils ont découvert la qualité de votre produit ou service, lorsqu'ils ont expérimenté le sérieux de votre travail, vous adoptent pour longtemps. Vous parvenez ainsi à capitaliser sur une force qui n'a pas besoin d'autre chose que de valeurs fondamentales et authentiques : l'honnêteté, le sens de l'engagement, la recherche constante de la qualité suprême et une bonne communication, afin de rendre plaisants vos rapports avec les autres.

Nous devons nos réalisations, dans la vie, autant à notre talent, notre travail et au hasard, qu'à la confiance des gens qui choisissent de faire affaire avec nous.

Le bon moment

Enfin, pour faire plus grand avec plus petit, il est fondamental de choisir le bon moment. Car vous pouvez utiliser les plus belles lettres personnelles, effectuer autant de suivis que vous le voulez, inspirer grandement confiance, le bon moment doit être au rendez-vous. Le marketing intelligent valorise le *timing*. Par exemple, il ne faut pas faire des envois lorsque tout le monde en fait. D'autre part, vous devez savoir attendre le bon moment. Vous devez aussi savoir le provoquer... au bon moment !

La différence entre le minimarketing et le maximarketing

Le minimarketing est fait de petits gestes très ciblés et très efficaces.

Le minimarketing, c'est le contraire du maximarketing, qui est fait d'outils de masse. Celui-ci est en fait du marketing de masse, de la publicité que l'on diffuse dans les journaux, les magazines, à la radio et à la télévision, sans oublier le publipostage direct.

Contrairement au minimarketing, le maximarketing est très risqué parce qu'il coûte cher et représente de gros risques. Si vous faites une publicité à la radio qui vous coûte 1000 dollars, mais que personne ne réagit, vous avez entrepris un marketing perdant. Si vous continuez et que vous essayez encore, pour vous rendre compte après avoir défrayé quelques milliers de dollars que cela ne fonctionne pas comme vous le souhaitiez, vous êtes sur une voie périlleuse. Somme toute : vous risquez de vous engager dans un marketing qui peut vous mener à la ruine.

Pour faire plus en maximarketing

Si votre affaire nécessite l'application du maximarketing avec ou sans le minimarketing, voici quelques recommandations qui vous permettront de faire plus que les autres.

Les bons jours dans les journaux

Même si dimanche est une journée de grande lecture des journaux, il n'est pas conseillé de placer une annonce dans le journal si vous êtes fermé ce jour-là. Lundi est habituellement une bonne journée pour annoncer. Vérifiez cependant avec votre représentant commercial. Si votre budget est limité, il serait sage de ne choisir que les meilleurs jours.

Les escomptes

Les journaux offrent habituellement des escomptes intéressants pour des publicités consécutives. Cela peut être très intéressant pour vous, puisque, d'une part, vous concrétisez votre objectif de répétition et que, d'autre part, vous réalisez des économies substantielles.

Suivez les concurrents

Un conseil ! Placez votre publicité là où les concurrents placent les leurs. Mais attention, si cette pratique est commune en Amérique du Nord, elle risque d'être impropre dans plusieurs pays dans le monde

Lorsque j'ai lancé le cours de comptabilité en cinq semaines au Québec, je plaçais toujours mes annonces au-dessus de celle de mon concurrent qui se trouvait sur le marché depuis 25 ans. Alors que j'en étais à mon premier mois, le téléphone n'arrêtait pas de sonner. Le succès était imminent. Les clients potentiels se trompaient même parfois de nom. Ils nous demandaient à la fin de l'entretien téléphonique si nous étions bien à telle adresse, qui était celle du concurrent.

La télévision

La télévision peut être efficace seulement si vous l'utilisez assez. Assez, c'est très cher. Alors, ne vous embarquez pas si vous ne pouvez pas au moins vous permettre d'y être pendant trois mois consécutifs, puis de développer davantage. Le meilleur taux d'écoute, c'est le soir, lorsque le plus grand nombre de gens regardent, entre 20 h et 23 h.

Faire de l'argent sans argent :
le summum du marketing intelligent !

Le summum du marketing intelligent, ce n'est pas de faire valoir un produit ou un service malgré un petit budget, ni de faire grand avec petit, ni d'en faire plus avec moins ou de faire plus grand avec plus petit. C'est de réussir à faire de l'argent sans argent. Le défi est immense, mais le plaisir qu'on en retire est tout simplement indescriptible.

J'en ai fait ma spécialité au fil des années. Je ne veux guère m'en vanter. Le prix à payer est très élevé. C'est l'enfer et le paradis conjugués. Mais je peux dire aujourd'hui que le jeu en vaut la chandelle. Je ne pense pas seulement à mes expériences personnelles en écrivant ce passage. Je pense aussi aux dizaines d'entrepreneurs que j'ai rencontrés au fil des ans, de presque tous les pays du monde, et qui sont partis de rien. J'ai toujours eu une grande complicité avec ces gens-là, parce que je sais à quel point la bataille est rude. Mais on en sort enrichi, renforcé, avec des leçons de vie très fortes.

Je pense à l'artiste qui travaille en silence, dans sa solitude, avec une patience d'ange et pour qui le temps n'est plus rien, car c'est le résultat qui compte. Que d'artistes ont produit leur plus belle œuvre à la fin de leur vie! L'artiste écrivain, l'artiste musicien, l'artiste peintre, l'artiste scénariste, l'artiste sculpteur, l'artiste tout court. Et l'entrepreneur n'est-il pas lui aussi un artiste? Il crée un concept à partir de zéro. Il se lance dans les affaires à partir d'une idée. Tous sont des créateurs qui, le plus souvent, commencent seuls, au plus bas de l'échelle. Ils n'ont derrière eux ni une équipe pour les aider, ni une infrastructure pour les soutenir, ni un budget pour pourvoir à leurs besoins. Ils ont un point commun: ils font de l'argent sans argent.

Comment y arrivent-ils?

Ils réfléchissent beaucoup. Tandis que d'autres répètent inlassablement les mêmes gestes, n'arrivant souvent plus à mesurer leur efficacité, eux, ils réfléchissent. Ils génèrent des idées. Après quoi, ils doivent réfléchir à comment ils vont vendre leurs idées. Ils scrutent leur argument le plus fort et ils le crient sur tous les toits. Selon leurs secteurs d'activités, l'un affiche son produit ou ses services dans des endroits gratuits, en parle à droite et à gauche, en fait la promotion dans des cercles privés, tels que les clubs de gens d'affaires, les associations professionnelles, les communautés culturelles ou religieuses, tandis que l'autre s'allie à un agent, un éditeur, un partenaire, un producteur, ou il conclut un partenariat stratégique. Chacun trouve un moyen de s'investir en marketing sans investir d'argent. Le retour est parfois lent, mais lorsque le produit est bon, il est presque sûr.

Alors voici comment chacun peut faire de l'argent sans argent. Des villes et des pays se sont construits et développés à partir d'idées. Ils sont aujourd'hui parmi les plus prospères.

Vous aussi, à partir d'idées que vous saurez faire ressortir et de contacts que vous irez chercher, vous pouvez non seulement faire grand avec petit, mais faire de l'argent sans argent. Souvent, les contacts vous amènent aussi des idées.

Principe 16

En provoquant les achats spontanés, et avec des idées stratégiques, une réduction des coûts au plus bas, on peut faire grand avec petit.

LES 10 MEILLEURES PUBLICITÉS

Qu'est-ce qui fait une bonne publicité ?

Un marketing intelligent ne lésine pas sur la qualité de la publicité. Il favorise même l'effervescence créative dans ce domaine. Rien n'est pire en marketing qu'une mauvaise pub. Elle s'installe dans les mémoires bien plus longtemps que la bonne. Une bonne publicité n'est jamais de trop.

Mais qu'est-ce qui fait une bonne publicité ? Qu'est-ce qui fait qu'elle est meilleure que d'autres ? Ce chapitre met en lumière les dix meilleures pubs, celles qui se distinguent et qu'on pourrait revoir bien des fois sans jamais se lasser. Une bonne pub, c'est celle qui intrigue, mais aussi celle qui transmet un message fort. Ce message doit être centré sur une idée maîtresse : l'ancienneté, l'innovation, les moyens ou la philosophie de l'entreprise. Ce message doit être véhiculé par un slogan facile à répéter au bureau, à la maison, dans la rue, en voiture, dans les cours de récréation des écoles, un peu partout. La bonne pub doit avoir un peu d'audace sans semer la controverse. Ses effets sont magiques. Elle permet d'atteindre une notoriété importante en un court laps de temps. Que d'entreprises ont été lancées grâce à une bonne pub !

Certaines entreprises jouent la carte de l'humour, un pari souvent difficile à gagner, mais fort prometteur. Une publicité drôle trouve souvent un consensus. Le danger de l'humour, c'est surtout lorsqu'il est mal adapté à la culture du public cible. Ce qui renforce surtout le positionnement d'une entreprise, c'est la clarté de son message et la pertinence des faits saillants.

Les meilleures pubs sont celles dont on se souvient, celles qui nous font réfléchir, celles qui nous font sourire, celles qui nous émeuvent. Les meilleures pubs sont celles qui savent être intelligentes, originales et pertinentes. Les thèmes abordés dans les messages sont des moments de la vie : la naissance d'un premier enfant, la première maison, la vie quotidienne, etc. On y retrouve aussi des valeurs traditionnelles.

Dix grandes campagnes de publicité

Voici dix grandes campagnes de publicité. Elles sont énumérées par ordre alphabétique et non pas par ordre d'importance. Bien d'autres pourraient encore y figurer, mais ces dix exemples visent à vous donner une idée de ce qu'est un bon slogan.

En France

1. Darty : *Le contrat de confiance.*

Au Québec

2. La Banque de Montréal : *Au-delà de l'argent, il y a les gens* ;
3. La Banque Nationale : *Notre banque nationale* ;
4. La Banque Royale : *Un service royal* ;
5. Le *Journal de Montréal : Vite, vite, vite* ;
6. Les magasins La Baie : *Les jours de La Baie* ;
7. La quincaillerie Rona : *On aime ce qu'on fait* ;
8. Les pharmacies Jean-Coutu : *Chez Jean-Coutu, on trouve de tout... même un ami* ;
9. Standard Life : *On vous donne notre parole.*

En Suède

10.   EF : *Depuis 1965, plus de deux millions de gens ont choisi de voyager avec nous.*

Qu'est-ce que toutes ces pubs ont en commun ?

Toutes ces campagnes sont très différentes. Elles portent sur des produits et des services variés. Elles relèvent de styles très divers. Pourtant, elles ont en commun trois caractéristiques, au moins, que devrait posséder chaque publicité issue d'un marketing intelligent.

1.   **L'originalité**

Elles s'appuient sur des concepts originaux.

2.   **La sensibilité**

Leur ton, la forme de leur message et leur discours sont en accord avec la sensibilité du moment : la confiance en ce qui concerne Darty, l'importance des relations humaines avec la Banque de Montréal, le sentiment d'appartenance avec la Banque Nationale, la vitesse avec le *Journal de Montréal*, les jours réservés aux escomptes avec La Baie, l'importance du service avec la Banque Royale, le sens du service chez Rona, l'esprit d'entraide chez Jean-Coutu, le sens de l'engagement avec Standard Life, l'ancienneté avec EF.

Elles sont conformes à la nature de leurs activités. Elles correspondent aux besoins de leur public. Elles sont aptes à faire réagir les consommateurs.

3.   **La durabilité**

Toutes ces campagnes ont un effet durable. Elles combinent beaucoup de créativité et une grande continuité du thème et de l'annonceur.

Le *Vite, vite, vite* du *Journal de Montréal*

Une des dix meilleures publicités est celle du *Journal de Montréal*. Le message est simple. Il est conçu de façon intelligible. Il est bien défini et bien positionné. Il met en avant un produit bien précis, celui des petites annonces. Le *Journal de Montréal* arrive à renforcer son image de média populaire grâce à ce produit. Au fameux *Vite, vite, vite*, on a associé le numéro des petites annonces, 888-8888. Il s'agit d'une campagne télévisée assez drôle, dans laquelle le comédien prononce le 888-8888 *vite, vite, vite, vite, vite, vite, vite*. Le message véhicule une idée centrale, celle du numéro à composer en vitesse pour faire publier sa petite annonce dans le *Journal de Montréal* le plus vite possible. Cet appel à la rapidité donne au concept toute sa dimension. Il le rend très puissant. Cette pub a défié le temps. Elle n'a pas changé depuis plusieurs années.

On aime ce qu'on fait

Rona, cet important détaillant et distributeur canadien de produits de rénovation, de bricolage et de jardinage, met l'accent sur le service avec son *On aime ce qu'on fait*. Il veut être perçu comme un quincaillier disponible et sympathique dans un domaine où on a souvent besoin de petits conseils.

Depuis 1965, plus de deux millions de gens ont choisi de voyager avec nous

Voici à peu près le texte publicitaire de EF, un institut suédois international de langues opérant dans diverses villes aux États-Unis et en Grande-Bretagne. Leader dans son domaine, il est très connu à travers le monde. Il a réussi à allier l'enseignement des langues et le divertissement. Son plus gros marché, c'est les jeunes. Il organise des excursions en Europe, notamment à Paris. Il a réussi vite à prendre des parts de marché importantes dans une industrie où la concurrence est extrêmement vive, à l'échelle mondiale.

Voici la traduction de son texte publicitaire anglais, pris dans un magazine spécialisé :

Depuis 1965, plus de deux millions de gens ont choisi de voyager avec nous. Nous sommes l'organisme éducatif privé le plus grand au monde !

- Cours de langues ;
- Année scolaire à l'étranger ;
- Placement universitaire garanti ;
- Programme stage en entreprise ;
- Formation en anglais des affaires ;
- Programmes d'été pour juniors ;

Joignez-nous maintenant !

Courriel : . . . .

Tél. : . . . .

Site Internet : . . . .

Nom de l'institut : . . . .

C'est cela, une publicité basée sur un marketing intelligent !

Ils ont d'abord défini depuis quand ils sont en affaires. L'ancienneté est très importante dans le cas de cette entreprise. Elle rassure les parents pour qui la sécurité vient en premier. Ils ont ensuite mentionné le nombre fulgurant de gens qui ont choisi leur institut. Ils ont bien pris soin de dire « choisi notre institut ». Autrement dit, il ne s'agit pas de clients de passage, mais de clients avisés qui ont dû être référés par d'autres étudiants qui ont été satisfaits de leur séjour à EF. S'ensuit une énumération succincte des programmes ne dépassant pas six points. Enfin l'action : communiquez avec nous, puis l'adresse de courriel en premier, parce qu'il s'agit du moyen le moins coûteux et le plus facile à utiliser par tous, ensuite le téléphone et enfin l'adresse du site Internet, le nom et le logo. L'ordre dans lequel on a énuméré les outils de communication (courriel, téléphone, site Internet), démontre que cette entreprise pratique le marketing intelligent. Le fait de placer le site Internet en dernier laisse penser qu'on souhaite que les clients poten-tiels envoient d'abord un courriel ou téléphonent. Ils sont ainsi en mesure de répondre à leurs besoins particuliers, de déve-lopper leur banque de données et leur marketing.

Nous cassons les prix

Voici un autre message publicitaire fort que j'ai expérimenté lors d'un de mes séjours d'affaires à l'étranger. Son auteur est un magasin qui possède divers rayons : cadeaux, cristallerie, parfumerie, porcelaine, etc. Sa publicité télévisée montrait un objet en verre de cristal ou de porcelaine et un boxeur qui don-nait un coup de poing au verre qui se brisait, tout en disant : «Nous cassons les prix.» Le message était fort. Plusieurs années plus tard, le bruit du verre cassé raisonne encore dans mes oreilles.

Les revues

Les revues conçoivent aussi d'excellentes pubs pour elles-mêmes. Elles sont presque toutes semblables. Elles nous invi-tent à nous abonner à leur revue. Leurs pubs sont presque par-faites. Le titre est toujours clair et bien défini : offre spéciale d'abonnement.

Tout de suite après, elles nous disent ce que nous rece-vrions en nous abonnant et le prix dérisoire que nous aurions à payer pour obtenir leur magazine toute l'année, et parfois un peu plus ! Pour nous récompenser de nous abonner, elles nous offrent un cadeau : une montre de rêve, un beau sac de voyage, un superbe stylo... Pour nous convaincre davantage, chaque magazine nous énumère trois, quatre, cinq bonnes raisons de nous abonner : Recevoir *notre magazine* dans le confort de notre maison ou celui du bureau, le fait d'être à l'abri de toute hausse de prix et d'être libre d'interrompre notre abonnement en tout temps.

Le tout se termine toujours par le fameux *OUI ! Je le veux*, et la réitération de l'offre intéressante, et de la mention du cadeau offert, mais surtout par l'indication, cette fois, du pourcentage d'économie sur le tarif régulier. Par exemple : *Économisez 68 % sur le prix en kiosque.* Bien entendu, les deux ou trois dernières lignes sont réservées au coupon que nous devons remplir et envoyer.

Décidément, les magazines du monde entier ne manquent pas d'idées fort inspirantes pour qui veut améliorer son message publicitaire !

Une phrase qui en dit long

Mon entreprise de conseils fournit aussi de la formation. Lorsque j'ai lancé cette activité, je me suis dit qu'il me fallait trouver une petite phrase qui en dit long à ajouter après le nom de mon entreprise et son domaine d'activité. Voici comment j'ai tout simplement positionné cette activité :

Global 21 Formation : *Des compétences à vie.*

Les deux programmes de formation que je planifiais d'offrir au moment où j'ai mis sur pied cette activité étaient : *Gérer les différences culturelles* et le *Marketing intelligent.*

Je m'étais dit que je conserverais ces deux cours jusqu'à la fin de ma vie et qu'ils visaient tous deux à fournir aux participants à *Des compétences à vie.* C'est ainsi que l'idée de ce slogan est née.

La publicité de l'avenir

Il est toujours hypothétique de prédire l'avenir, mais il s'agit d'un exercice nécessaire pour la vision d'une entreprise. Des innovations considérables font leur chemin et continuent de bouleverser nos habitudes et nos moyens de communication. La demande de publicité restera soutenue par la nécessité qu'ont toutes les entreprises de développer leurs efforts de marketing. L'internationalisation des marchés de plus en plus poussée forcera davantage les annonceurs à tenir compte des réalités des divers marchés en termes de cultures, de mentalités et de mœurs. Ils devront, à ce titre, se doter de compétences de plus en plus importantes dans ce domaine. Les moyens de communication continueront à se diversifier. De nouvelles possibilités de vente continueront à se déployer.

Principe 17

Les meilleures pubs se distinguent par leur originalité, leur sensibilité et leur durabilité.

LA FAÇON D'ÉPARGNER DE L'ARGENT EN MARKETING

Comment épargner de l'argent en marketing ? Telle est la grande question que se pose constamment tout intervenant dans ce domaine.

La première recommandation du marketing intelligent

La première recommandation du marketing intelligent, c'est de ne pas changer constamment vos messages. Cela occasionne souvent des pertes de temps inutiles et peut coûter de l'argent superflu en production. Gardez un message jusqu'à ce qu'il perde son pouvoir d'utilisation, sa vitalité. Au début, les gens l'aimeront puis s'en lasseront. Ne changez pas vite. Attendez que tout le monde autour de vous en ait ras-le-bol. C'est cela le marketing intelligent ! Regardez aussi les résultats en termes de revenus qu'ils apportent. C'est le meilleur indicateur pour savoir si vous devez changer de message ou pas.

Lorsque j'étais président du comité de marketing de l'association canadienne des écoles privées de langues, j'ai été chargé de créer son premier guide. Avec mon équipe, nous avons tout conçu avec une vision d'avenir. Cinq ans plus tard, le nombre des membres avait triplé. La structure du guide était toujours la même, avec pour seuls ajouts le message du premier ministre du Canada, avec sa photo et les profils des nouveaux membres. Bien entendu, les informations sur les anciens membres avaient aussi été mises à jour. Le concept du guide, sa structure et sa mise en page demeuraient inchangés. L'association avait ainsi capitalisé sur le travail effectué. Elle avait utilisé ses ressources pour recruter d'autres membres et grandir. C'est cela, le marketing intelligent!

Vos imprimés : de vos cartes professionnelles à votre brochure

Nous ne réalisons pas parfois à quel point nous sommes capables d'épargner de l'argent avec nos imprimés, en posant de simples gestes, sans pour autant en affecter la qualité.

Parlons tout d'abord des cartes professionnelles. Vous pensez peut-être qu'il s'agit d'une mince affaire, sur laquelle il ne vaut pas la peine de s'attarder. Détrompez-vous. Le seul fait d'ajouter une couleur au noir et blanc fait sensiblement grimper le prix de vos cartes. Avoir deux couleurs, en plus du noir et blanc, est superflu. Les couleurs qui abondent dans une carte de visite risquent de paraître de mauvais goût pour un bon nombre de personnes. Or, tout outil de marketing, dans un marketing intelligent, doit être conçu dans le but de plaire à la majorité des gens. Ce qui pourrait faire ressortir votre carte professionnelle, ce serait d'opter pour une couleur, autre que le blanc. La plupart choisissent le blanc par paresse ou parce qu'ils pensent que cela leur coûterait cher de choisir une autre couleur. La réalité, c'est que le surplus de coût est dérisoire. Enfin, le choix de la quantité adéquate pèse aussi sur le prix. Celle-ci ne doit être ni trop grande ni trop petite. Si elle est très élevée, par exemple de 1000 ou plus, vous risquez de devoir en détruire une partie si des changements surviennent. Si elle est trop basse, de moins de 500, par exemple, vos coûts seront supérieurs. Vous vous dites que tout cela est pour trois fois rien? Imaginez que vous économisez à chaque commande, disons annuelle, une vingtaine de dollars et que vous prenez cinq ou six décisions semblables par an. Vous perdez en 20 ans environ 3000 dollars, incluant les intérêts composés. Si vous avez une vingtaine d'employés dans votre entreprise, cela signifie 60 000 dollars, ce qui représente un gros montant.

Le marketing intelligent pense à tout cela. Il tient compte des petits détails parce qu'il sait que les petits détails sont ceux qui permettent le plus d'épargner de l'argent en bout de ligne. Il considère que chaque sou est important, puisqu'il peut en manquer un pour compléter un dollar !

Grâce à la nouvelle technologie, vous êtes en mesure d'économiser encore plus en exploitant les outils modernes à votre disposition. À l'aide de votre ordinateur, vous pouvez aujourd'hui créer de belles cartes professionnelles. Vous êtes aussi en mesure de produire vos papiers à lettres, votre brochure, vos circulaires, selon vos besoins, vos goûts et votre rythme.

Pour ce qui est de vos enveloppes, procurez-vous-en de n'importe quelle papeterie. Choisissez-les de grande qualité, de la même couleur que votre papier à lettres et vos cartes professionnelles. Faites-vous faire un tampon en caoutchouc avec le nom et l'adresse de votre entreprise pour une trentaine de dollars. Il vous servira à apposer vos coordonnées sur chaque enveloppe. Ainsi, vous n'aurez pas à débourser des frais d'imprimerie.

Marketing coopératif

Le marketing coopératif permet aussi d'épargner de l'argent. Une entreprise peut en payer une autre qui mentionne son nom dans sa publicité. D'autre part, en choisissant de développer un partenariat en marketing, deux entreprises, dont les activités sont complémentaires, pourront réaliser une même brochure, un site Internet commun et partager un kiosque dans les foires commerciales.

Cela est aussi envisageable entre concurrents, pourvu que leur concurrence ne soit pas trop directe. Je connais trois instituts de langue au Canada, une au Québec, une en Ontario, et la troisième en Colombie-Britannique. Elles ont établi un partenariat à trois et entreprennent des actions de marketing ensemble, surtout à l'échelle internationale. Tous les trois trouvent cette formule très économique. Leur partenariat fonctionne bien depuis plusieurs années.

Site Internet

Tous ceux qui en ont fait l'expérience le savent. Les coûts relatifs au site Internet ne sont pas déboursés une fois seulement, au moment de la création du site. Un site Internet doit être hébergé. Il faut donc payer des frais mensuels d'hébergement. Il y a aussi les droits annuels à payer pour garder son adresse. Bien entendu, l'investissement pour la conception du site, ainsi que les déboursés à effectuer à chaque ajustement ou modification à faire, doivent également être pris en considération. Il faut aussi s'inscrire dans les moteurs de recherche, dont le nombre n'est pas négligeable. Si l'on n'est pas très familier avec cet aspect de la technologie, il est impératif d'avoir recours à des experts dans ce domaine et par conséquent de les payer pour leurs services. Tout cela prend du temps et de l'argent, plus de temps et d'argent qu'on ne le pense.

Une personne qui applique le marketing intelligent opte pour le site le plus simple. Non seulement cela lui permettra d'épargner beaucoup d'argent, mais facilitera la vie de son entreprise et celle de ses internautes. D'autre part, elle s'assurera d'avoir des informations durables. Elle diminuera au maximum celles qui sont susceptibles d'être modifiées.

La meilleure façon d'économiser de l'argent en marketing, c'est de simplifier son approche et d'éviter trop de changements dans la mesure du possible.

Exploitez la technologie au maximum avec le courriel

Le courriel est un moyen extraordinaire d'épargner de l'argent en marketing. Je fais partie des entreprises qui exploitent ce moyen au maximum pour générer des revenus. Et cela fonctionne bien depuis plusieurs années. Si vous savez bien manier cet outil, il peut représenter pour vous un moyen très productif, mais surtout l'instrument le plus économique en marketing. Votre approche doit être très professionnelle, personnalisée, directe. Dites ce que vous avez à dire. Les gens sont très sollicités. Il faut respecter leur temps. Soyez courtois et surtout invitez les gens à demander le retrait de leur adresse courriel de vos listes s'ils ne souhaitent pas recevoir vos envois. Je passe autant de temps à faire du marketing par courriel auprès de milliers d'entreprises au Canada et à travers le monde qu'à retracer les quelques personnes qui sollicitent le retrait de leurs coordonnées de notre banque de données. Sur chaque envoi de 5000, elles sont une dizaine dans ce cas. Elles nous communiquent souvent d'autres adresses à retirer que celle à laquelle leur est parvenu notre courriel. Il faut donc vérifier à plusieurs reprises, d'abord dans notre banque de données, ensuite à nouveau avec elles, puis encore dans nos listes. Mais il faut le faire. Car en marketing, comme dans tout autre domaine, il faut agir avec les autres de la même façon que vous souhaitez qu'ils agissent avec vous.

Échanges

Les échanges sont une autre façon innovatrice d'épargner de l'argent en marketing. J'en ai souvent effectué lorsque j'étais éditeur d'un magazine international d'affaires au Québec. Je louais un kiosque dans des salons, en France, au Québec et en Suisse. En contrepartie, j'offrais aux organisateurs des salons une page de publicité dans notre magazine. J'épargnais ainsi le prix de location du kiosque et eux, le prix de l'annonce. Ni l'un ni l'autre ne déboursait de l'argent. Voici donc des transactions qui impliquaient des milliers de dollars et dans lesquelles aucune des parties, n'a eu à débourser de l'argent. Toutes en ont grandement bénéficié. Je pouvais ainsi distribuer le magazine dans les salons et en faire la publicité gratuitement. De plus, je téléphonais à des clients avant le début de chaque salon et les invitais à placer des annonces dans le magazine pour bénéficier d'une visibilité dans ces foires-là, sans avoir à y être. Et cela fonctionnait à merveille!

Je concluais aussi d'autres ententes de ce genre pour le magazine, dont une avec une grande entreprise internationale américaine pour qui nous placions l'annonce à la page arrière du magazine, durant toute l'année.

Tester d'abord

Vous voulez vous assurer d'épargner de l'argent en marketing et minimiser le plus possible votre risque? Testez d'abord vos démarches. Les tests vous permettront de recueillir des impressions de la part de vos clients potentiels. Ils vous aideront à mieux comprendre les tendances du marché, à évaluer les forces et les faiblesses de votre entreprise, de vos produits ou services. Vous pourrez ainsi éviter des actions commerciales périlleuses et vous diriger vers des pistes plus sûres.

« Le marketing intelligent » prend soin du reste...

En appliquant les moyens et techniques proposés dans cet ouvrage, diverses façons d'épargner de l'argent en marketing viendront à vous, tout simplement. Vous réaliserez soudainement que vous pratiquez alors la crème de la crème du marketing intelligent.

C'est ainsi que vous aurez acquis, entre autres, la façon d'épargner de l'argent en marketing, qui est faite de 1000 façons!

Principe 18

Pour épargner de l'argent en marketing, il faut sim-plifier l'approche, choisir un message durable, exploiter la technologie au maximum, favoriser le marketing coopératif et les échanges, et surtout, tester d'abord vos démarches.

JAMAIS SANS MES STRATÉGIES MAIS... DES STRATÉGIES EFFICACES

La nécessité d'une stratégie

Stratégie, stratégie, stratégie. Le marketing intelligent se base sur une stratégie. Quelle est votre stratégie?

Malgré sa popularité croissante, la stratégie reste encore, pour beaucoup, une notion vague. La stratégie d'une entreprise peut être définie comme étant le choix des domaines et des moyens dans lesquels elle s'engagera, ainsi que la façon de les mettre en œuvre et leur intensité.

Dans un monde aussi compétitif, une entreprise ne peut plus se contenter de pures intuitions ou d'approximations. Sans une stratégie, une entreprise serait vouée à l'échec. Mieux encore, la stratégie de marketing de toute organisation a une incidence sur sa stratégie globale. Cette dernière ne peut être élaborée sans une stratégie de marketing. Il s'agit donc d'un cercle vicieux.

Que ce soit pour se faire connaître sur les plans local, national, régional ou sur l'échiquier mondial, les petites, moyennes et grandes entreprises doivent élaborer une stratégie de marketing sur laquelle elles pourront compter.

Les stratégies peuvent concerner vos produits ou services, ce qui entraînera l'ajout de produits ou de services, la modification d'un produit ou service existant ou l'élimination d'un ou de plusieurs services. Elles peuvent concerner les prix, les modes de distribution et la promotion.

Le marketing intelligent fait de la stratégie une nécessité absolue. Il ne se contente pas seulement de mettre en place l'ensemble des actions qui la composent. Il vise son efficacité maximale.

Pour combien de temps ?

Le temps est indispensable au stratège. Un grand stratège doit avant tout posséder une capacité à voir le long terme. Il doit non seulement être compétent, mais avoir du leadership et surtout une vision d'ensemble, et du sang-froid. C'est pourquoi le marketing intelligent préconise une stratégie pour les trois ou quatre ans à venir, mais surtout, il recommande vivement la révision d'une telle stratégie chaque année. Certains ajustements pourraient y être apportés en fonction des développements des marchés visés. Car dans un marketing intelligent, la stratégie doit tenir compte des actions et des réactions possibles des concurrents, mais aussi d'événements économiques souvent aléatoires : évolution d'un taux de change, irruption d'une technologie, changement de régime politique, guerre et autres événements politiques.

Un grand stratège issu de l'école de marketing intelligent sait corriger. Il possède l'art de s'adapter à toute nouvelle situation et de lui apporter les modifications qui s'imposent. Sa stratégie est intimement liée à sa vision. Là où d'autres voient le court terme, lui, il demeure centré sur le long terme.

La force d'une stratégie bien définie

Les grands stratèges qui possèdent les qualités qu'on vient de mentionner sont rares, parce que la stratégie est une activité de grande réflexion qui demande une grande disponibilité. C'est cette disponibilité qui va permettre une réflexion suffisamment mûre pour poser les jalons d'une orientation bien précise. Une bonne stratégie digne d'un marketing intelligent est celle qui est claire et bien définie. Elle ne laisse de place à aucune ambiguïté.

C'est grâce à une telle stratégie que des entreprises comme Gillette, IBM, Microsoft, Sheraton, Toyota, Volkswagen et Wal-Mart, pour n'en citer que quelques-unes, ont fait leurs preuves.

C'est aussi grâce à une telle stratégie que de nouvelles entreprises dans des secteurs extrêmement difficiles et hautement compétitifs naissent et prospèrent vite, à l'échelle mondiale.

Le propriétaire d'une des compagnies aériennes les plus profitables en Europe a établi une stratégie très claire et bien définie. Pour pénétrer un marché qui était réservé à de grands joueurs comme Air France et British Airways, il a travaillé plusieurs années sur son plan d'affaires. Sa stratégie se résumait en quatre mots : bas prix et meilleur service. Il a instauré les prix les plus bas. Personnalité d'affaires connu dans le monde, il montait à bord de ses avions pour saluer les passagers et s'assurer qu'ils étaient contents. Il prit soin de fournir le meilleur service possible, en offrant la rapidité et la réservation simplifiée à ses clients. Ses avions décollent à l'heure. Les hôtesses sont gentilles. Il fait économiser de l'argent aux passagers parce que l'entreprise ne sert pas de nourriture à bord. Ses clients connaissent sa stratégie. Ils savent que cela leur permet de payer leur billet d'avion moins cher. S'ils veulent manger ou boire dans l'avion, ils doivent payer. Cette stratégie a valu un succès phénoménal à son auteur, dans une industrie considérée à l'époque comme impénétrable.

Il y a quelques années, une chaîne d'hôtels, aux États-Unis, fit appel à mes services-conseils. Elle paya mon voyage et m'installa dans une de ses suites. Il s'agissait d'un grand groupe qui occupait le dernier étage de la tour à bureaux la plus moderne de la ville. De son bureau, le président me montra leur hôtel. En face se trouvait un autre grand hôtel concurrent qu'il pointa du doigt. Il m'expliqua que leur stratégie était d'avoir leurs hôtels juste en face de ce grand concurrent, partout où celui-ci se trouvait, à des tarifs 50 % moins chers. Il poursuivit en me disant : « Vous vous demandez sans doute comment nous pouvons réaliser des profits avec une telle stratégie. Et bien, la réponse est simple. Nous n'avons pas de restaurant. Nous offrons cependant le petit déjeuner inclus dans le prix. Il s'agit d'un buffet, comme vous avez pu le constater ce matin à l'hôtel. Les restaurants d'hôtels font des pertes qui doivent être épongées par les revenus des chambres. »

Renforcer la cellule stratégique

De plus en plus d'entreprises de toute taille réalisent que leur succès est dû, en grande partie, à la puissance de leur réflexion stratégique. La plupart ont créé ou renforcé leur cellule stratégique, durant les dernières années, à l'aide de leaders de la réflexion stratégique.

Les cadres et les dirigeants des meilleures entreprises ne conçoivent plus la gestion sans cet élément devenu intimement lié au fonctionnement propre de toute entreprise moderne. Ils ont de plus en plus recours à des consultants stratégiques externes ou en recrutent pour leurs besoins à l'interne.

L'information

Ces grands stratèges ne se contentent pas de leur expertise en matière d'élaboration de stratégie. Ils reconnaissent l'importance de l'information dans ce domaine. Ils savent comment et où la chercher, mais surtout comment l'analyser et l'interpréter. Ils s'assurent avant tout de recevoir sans retard une information et de déjouer toute déformation éventuelle de celle-ci, volontaire ou involontaire.

Les outils

Un grand stratège ne compte pas sur son cerveau seulement. Il se sert d'outils pour son travail : des idées, des méthodes, des concepts, des expériences. C'est grâce à ces outils, présentés dans ce livre, que l'efficacité des stratèges sera encore plus grande.

Un travail d'équipe

La difficulté de trouver un grand stratège pousse le plus souvent les grandes entreprises à former une équipe de trois à cinq personnes, et chacune apporte ses différentes qualités, ce qui fait de ce groupe un grand stratège.

La segmentation stratégique : préalable indispensable à l'élaboration d'une stratégie

Pour élaborer sa stratégie avant d'engager des ressources ou de se mesurer à des concurrents, une entreprise qui pratique le marketing intelligent veillera à procéder au découpage de ses activités en divers domaines. Par exemple, les stratèges d'une usine de meubles commenceront leur réflexion avec l'outillage, les meubles utilitaires, les meubles haut de gamme, etc. Ce découpage est un travail fondamental. S'il est bien fait, il entraînera une action stratégique puissante et efficace. Le découpage des domaines d'activités, pour une entreprise, c'est une opération certes difficile, mais fondamentale. C'est la base de l'analyse stratégique, que ce soit pour se mesurer à ses concurrents ou pour investir.

La segmentation stratégique permet de définir une stratégie pour chaque domaine d'activités et de lui allouer indépendamment les ressources nécessaires. Elle doit aussi se faire sur le plan géographique si l'entreprise œuvre à l'échelle nationale, régionale ou internationale.

Les problèmes de beaucoup d'entreprises viennent de l'absence de segmentation d'un ou de plusieurs de leurs secteurs.

Leur analyse stratégique est souvent globale et ne répond donc pas aux règles d'une bonne analyse stratégique. Grâce à une segmentation originale et créative, des entreprises parviennent à surpasser de loin les performances de leurs concurrents les plus puissants.

La recherche et le développement

Ce qui se passe souvent, c'est que, même si une entreprise applique la segmentation stratégique, ses concurrents plus puissants semblent bénéficier d'un énorme avantage en matière de recherche et de développement. C'est l'apanage des grandes entreprises. Cela explique la nécessité de la recherche et du développement dans toute entreprise, même si cet aspect se manifeste à plus petite échelle dans les PME, et ce, dans le but de renforcer la stratégie en place. Ce volet permet aux entreprises d'orienter leurs actions vers ce qui peut être le plus rentable pour elles et surtout d'améliorer les procédés visant à réduire les coûts, pour mener au mieux leur combat contre les concurrents.

Des stratégies adaptées à chaque situation

Le marketing intelligent, c'est adapter à chaque situation sa propre stratégie. Qu'elle soit petite ou grande, une entreprise qui applique la stratégie appropriée à sa propre situation assure sa rentabilité. D'ailleurs, souvent, les plus petites entreprises sont plus rentables que les plus grandes, tout simplement parce qu'elles appliquent une stratégie appropriée à leur situation, alors que les plus grandes ne le font pas. C'est ainsi que des petits attaquent souvent des géants avec de faibles moyens et gagnent la partie. C'est que les grands ont dormi sur leurs lauriers, alors que les petits ont travaillé à l'élaboration d'une stratégie. Ils l'ont lancée avec de faibles moyens, à coup de milliers de dollars, alors que les autres le faisaient à coup de milliards de dollars, et ont surpris le monde avec ses résultats.

Des questions précises
Des réponses encore plus précises

Dans un marketing intelligent, l'élaboration d'une stratégie provoque des questions très précises qui vont amener l'entreprise à faire des choix bien définis. Les questions sont nombreuses et très variées, telles que : allons-nous nous engager sur de vastes marchés en croissance ? Quels sont les risques que nous prenons ? Sommes-nous capables de faire face aux risques éventuels ? Comment allons-nous réagir face à ce qui pourrait arriver ? Notre produit ou service a-t-il une valeur maximum pour les utilisateurs ? Le développement du marché peut-il être compromis par un événement quelconque ? Y a-t-il moyen de minimiser nos risques tout en demeurant compétitifs ? À toutes ces questions et à bien d'autres, le marketing intelligent fournit des réponses très précises.

Dans un marketing intelligent, la précision est de rigueur.

Comment aller chercher des clients
Marketing de reconnaissance ou marketing ciblé ?

Une des grandes questions que se posent les spécialistes du marketing intelligent avant de déployer les moyens nécessaires pour commercialiser leurs produits ou services est la suivante : quel type de marketing faut-il mettre en œuvre ? Un marketing de reconnaissance, un marketing ciblé ou les deux à la fois ? Allons-nous œuvrer sur les marchés locaux ou internationaux ?

Les réponses à ces questions précises sauront aiguiller la stratégie de l'entreprise.

Dans le domaine du tourisme, par exemple, la plupart des hôtels connus choisiront de faire plutôt du marketing ciblé. Ils pensent avoir fait leur marque chez eux et un peu partout dans le monde. Ils tentent donc d'aller chercher, par exemple, des amoureux de la montagne de telle région en été, des skieurs de telle région en hiver ou bien ils annoncent dans un média s'adressant aux gens d'affaires pour que des réunions et des congrès aient lieu à l'hôtel. Cette stratégie n'est pas toujours la meilleure. C'est pourquoi, d'ailleurs, la plupart des hôtels sont vite durement affectés par les crises qui surviennent. Ils sont également sensiblement affaiblis durant leur basse saison. Le marketing des hôtels doit demeurer un travail inlassable visant le monde et cherchant des niches de marché un peu partout. C'est ce que font les hôtels qui réussissent le mieux. La pression perpétuelle de son marketing à travers le monde permettra à l'hôtel pratiquant le marketing intelligent de traverser les périodes difficiles plus facilement, grâce à une clientèle et à des marchés variés, qu'il développera en permanence.

Attirer les clients

Pour attirer les clients, le marketing intelligent pose les vraies questions.

Cinq questions aideront une entreprise à élaborer la stratégie la plus efficace visant à attirer les clients. Les voici :

1. À quoi ressemble mon client idéal ? (Profil de mon client)

2. Qu'est-ce qui pousse mon client à agir ? (Motivation de mon client)

3. Qu'est-ce que mon client attend de moi ? (Attentes de mon client)

4. Comment vais-je motiver au maximum mon client ? (Stratégie de motivation par mon entreprise)

5. Quels aspects de mon entreprise dois-je améliorer pour attirer plus de clients ?

Qui doit aller chercher des clients ?

Un marketing intelligent se penche sérieusement sur cette question. La réponse dépendra de la taille de l'entreprise. S'il s'agit d'une très petite entreprise, c'est habituellement le propriétaire qui a le mandat d'aller chercher de nouveaux clients. Il peut aussi choisir un spécialiste du marketing pour le guider dans cette tâche. Les moyennes entreprises peuvent habituellement avoir une vingtaine de personnes qui ont le mandat d'aller séduire de nouveaux clients. Dans ce cas, une bonne organisation et une stratégie spécifique doivent être mises en place pour exploiter au maximum le potentiel d'une telle équipe.

Bien cibler

Dans un marketing intelligent, on cherchera toujours à bien cibler ses clients. Une stratégie particulière est mise sur place à cet effet. Plus on est capable de cibler ses clients, plus le rendement pourra être élevé.

Des stratégies efficaces

Le marketing intelligent privilégie des tactiques très précises qui ciblent des objectifs bien définis à atteindre dans un délai également précis. En voici un exemple qui peut vous inspirer.

Le stratège commun

Un organisme de charité souhaite mener une campagne de financement. Il sollicite une figure connue et fiable dans le milieu des affaires. Il s'assure que cette personne est prête à s'investir pour concevoir un plan de match efficace et piloter la campagne. Celui-ci vise à joindre des entreprises et des gens d'affaires de la région. La stratégie a pour but d'atteindre l'objectif de 100 000 dollars. La personne en question, sélectionnée pour piloter cette campagne, se met au travail. Elle forme une équipe. Avec ses coéquipiers, elle contacte 1 000 membres de la chambre de commerce de sa ville. Il s'agit là d'une stratégie assez fréquente de la part des organismes de charité, qui leur permet habituellement d'atteindre leur objectif financier. Les fonds recueillis permettent ainsi de servir des causes utiles.

Quelle stratégie ?

Dans un marketing intelligent, nous veillerons à définir soigneusement quelle stratégie conviendra le mieux à nos besoins. Voici quatre stratégies communes.

Stratégie de concentration

Veut-on se concentrer sur un produit ou service quelconque ? Veut-on se concentrer sur un ou des marchés précis ?

Stratégie de diversification

Veut-on appliquer une stratégie de diversification ?

Stratégie de différenciation

Veut-on se différencier dans notre approche, notre concept, nos produits ou services, par rapport à nos concurrents ?

Cette stratégie est souvent utilisée en politique pour se différencier de ses adversaires.

Stratégie de cohérence

Veut-on véhiculer une idée, un message, une vision en particulier ?

Cette stratégie est également très utilisée avec succès dans le marketing politique. Par exemple, on mise sur la santé tout au long de la campagne électorale parce qu'on sait que cet aspect représente une priorité auprès de l'ensemble de la population.

Principe 19

La stratégie est une nécessité absolue. Pour qu'elle soit efficace, il faut qu'elle soit précise, adaptée à chaque situation, basée sur une segmentation des secteurs et une perspective à long terme.

COMMENT SE FAIRE CONNAÎTRE À BON PRIX ?

Identifiez une clientèle cible

La plupart des entrepreneurs n'ont qu'une idée en tête : se faire connaître à bon prix ou même sans frais. Pour y parvenir, la première chose à faire, c'est de connaître sa clientèle cible. C'est seulement lorsque vous avez pu identifier avec précision votre clientèle cible que vous êtes en mesure de déployer en force les techniques du marketing intelligent au bon endroit. Le fait de pouvoir faire part de votre offre à un groupe restreint de clients potentiels vous fera économiser du temps et de l'énergie. Mieux encore, ceci vous permettra d'effectuer des interventions tactiques d'une efficacité redoutable.

Choisissez un positionnement distinctif

Il ne suffit pas d'identifier une clientèle cible pour se faire connaître à bon prix. Il est vital d'opter pour un positionnement distinctif pour donner à votre action toute sa puissance. En fait, l'un ne va pas sans l'autre. Car si vous vous contentez tout simplement d'identifier votre clientèle cible et d'orienter votre action vers elle sans chercher à vous positionner de façon distinctive, vous risquez de faire face à des concurrents forts qui ont eux aussi identifié cette clientèle. D'autre part, vous ne pouvez vous positionner de manière distinctive que si vous connaissez votre clientèle cible. Si vous êtes capable de bien mettre en œuvre ces deux conditions, vous réaliserez un coup de maître.

Attention! Il ne s'agit pas ici de définir votre produit ou service par rapport à un marché quelconque ou au type de clientèle qu'il intéresse. Le positionnement est supposé être déjà effectué. Il est plutôt question de lui donner le caractère *distinctif* qui va le faire connaître rapidement à un prix bien moins élevé que s'il devait rester confiné dans une personnalité ordinaire. Cet élément doit apparaître clairement. Il doit vous distinguer nettement de tous vos concurrents. C'est cela, le marketing intelligent!

Un positionnement distinctif, cela peut être un service à la clientèle hors pair. Mais il peut ne pas être suffisant dans la plupart des cas, parce que ce type de positionnement devient de plus en plus courant.

Le marketing relatif à l'industrie de l'automobile est plein d'exemples de positionnement distinctif. Chaque manufacturier tente de se distinguer par rapport à un autre. Mieux encore, les manufacturiers d'automobiles créent divers modèles et donnent à chacun un positionnement distinctif qui se renouvelle habituellement chaque année ou tous les deux ans. Par exemple, les Jeep se sont distinguées comme étant des automobiles tout-terrains, des voitures pour tous les usages. D'ailleurs, dans les publicités télévisées, on les voit escalader les montagnes les plus rugueuses ou se tortiller dans les hautes dunes du désert sans jamais s'enfoncer. Les minifourgonnettes se sont quant à elles distinguées comme étant les voitures familiales par excellence. Les deux types de véhicules ont réussi à se faire connaître rapidement. Était-ce à bon prix? Cela reste à voir. Dans tous les cas, il y a matière à présumer que ceux parmi eux qui dégagent de bons profits parviennent à le faire en partie parce qu'ils arrivent à se faire connaître à bon prix.

Autre exemple d'un positionnement positif: le Polaroid, cette marque d'appareil photographique connue à travers le monde. Elle se distingue par le fait qu'elle permet d'obtenir très vite une photo.

Lorsque je lançais, il y a quelques années, un magazine international d'affaires au Québec, je manquais de budget. Mon plus grand défi consistait à le faire connaître vite et à bon prix. Je commençai donc par identifier la clientèle cible. Étant donné qu'il s'agissait initialement d'un média de réseautage international d'affaires, tout entrepreneur et toute entreprise souhaitant faire ou faisant déjà affaire à l'international était un client potentiel. Ils pouvaient annoncer cinq lignes à tarif spécial dans la colonne de ceux qui souhaitaient acheter, ou dans celle de ceux qui souhaitaient vendre. Ce concept spécial représentait le positionnement distinctif du magazine. Dès les premiers mois, la publication fut remplie par des entrepreneurs et des importateurs, exportateurs et autres, à la recherche de partenariat. Ce qui importait surtout aux annonceurs, c'était le contenu. Il ne fallait donc pas attacher trop d'importance au contenant. La revue était réalisée à l'aide de l'ordinateur, puis photocopiée dans un centre de photocopie sur papier couleur. Elle était ensuite postée aux annonceurs et souscripteurs. Le fait de cibler une clientèle précise et d'avoir un positionnement distinctif permit au magazine de se faire connaître vite et à bon prix.

Un autre exemple, c'est lorsque j'ai lancé mon institut de gestion et de langues au Québec. Il existait beaucoup d'autres écoles établies depuis de longues années. Je décidai donc d'offrir un enseignement en petits groupes, ne dépassant pas six étudiants par classe. Ce positionnement distinctif m'avait permis de me faire connaître à bon prix dès la première année.

J'ai aussi appliqué la même stratégie pour lancer mes activités de conseils. J'ai identifié une clientèle bien définie. J'ai créé un programme innovateur qui consiste à voyager pour mes clients. Lorsque ces derniers me donnent un mandat, je dois élaborer leurs stratégies de marketing, effectuer le voyage, entreprendre les contacts et les négociations en leur nom et leur fournir au retour un rapport complet de ma mission, ainsi que de l'état du marché, de la liste des contacts effectués, des conseils et des recommandations sur la façon d'effectuer leur marketing dans le marché en question. J'arrive ainsi à me faire connaître grâce à mon positionnement distinctif à l'égard d'une clientèle bien définie, et cela, à bon prix. Je sais où trouver ma clientèle. Mon positionnement distinctif fait le reste. Je ne perds ainsi pas d'argent ni de temps.

Enfin, lorsque je décidai de créer mon activité de formation, parallèlement à mes services-conseils, je choisis un cours qui n'était pas disponible sur le marché : *Gérer les différences culturelles*. Ce positionnement distinctif me permit de recevoir des appels et de former un groupe dès le premier mois du lancement de ce séminaire de formation. Le cours est toujours offert et tout mon marketing tourne constamment autour de cette phrase : « Comment me faire connaître de plus en plus à bon prix. »

Bâtir une notoriété rapidement grâce au partenariat

Lorsque j'ai lancé mon entreprise, en 1982, je voulais bâtir ma notoriété rapidement. J'avais donc choisi de m'associer à diverses entreprises de renommée et de les promouvoir sur de nouveaux marchés, sur une base exclusive de leur part. Cela signifiait qu'elles ne pouvaient faire affaire avec certains marchés qu'avec mon entreprise. De mon côté, je m'engageais à les promouvoir en force dans un programme de marketing puissant que je leur avais soumis et auquel elles avaient donné leur support. Ce dernier était d'ordre commercial, financier et technique. Le succès était rapide et retentissant avec des retombées financières spectaculaires. Cette association nous permettait de bâtir nos notoriétés respectives, dans les marchés convenus, rapidement et efficacement. Nous avions réussi à accaparer en commun 60 % du marché. La clé de notre succès résidait dans notre positionnement distinctif par rapport aux autres concurrents. Grâce à cette association, j'avais pu me faire connaître à bon prix. Elles aussi, puisqu'elles étaient 20 entreprises à partager les frais de marketing dont je dirigeais le budget, sur les marchés convenus, en y ajoutant ma part.

Beaucoup d'entrepreneurs veulent faire les choses seules. Cette formule s'avère de nos jours fort coûteuse, compte tenu de la vive concurrence. Les projets de partenariat sont un excellent moyen pour se faire connaître à bon prix.

Attention aux documents de présentation coûteux... mais surtout au gaspillage !

Beaucoup investissent dans des documents de présentation dispendieux. Une documentation susceptible d'attirer l'attention du client en particulier est certainement nécessaire, mais n'a pas besoin d'être coûteuse pour remplir sa mission.

Un document de présentation issu d'un marketing intelligent doit répondre à ces questions rapidement et sans détour : « Qui êtes-vous ? Que vendez-vous ? Où êtes-vous ? » Il faut avant tout un texte clair expliquant comment vous pouvez aider vos clients. Il n'y a là aucun besoin pour un document long et coûteux.

Le propriétaire d'une entreprise demeure son meilleur porte-parole. Il n'existe aucune meilleure façon de se faire connaître que d'être visible dans son milieu, de soigner ses contacts dans sa communauté et dans le cercle des affaires. Peu importe votre secteur d'activité, chaque personne de votre entourage est susceptible de parler de vous.

Un comptable en affaires depuis plusieurs années m'a confié que tous les clients qu'il avait recrutés étaient le fruit de contacts personnels et de marketing direct. Il m'avoua que sa brochure servait tout simplement de support et qu'il la distribuait rarement.

Il ne s'agit pas là de désavouer le rôle proéminent des brochures, mais d'attirer l'attention sur les possibilités de se faire connaître à bon prix, sans avoir à investir de l'argent dans du matériel promotionnel coûteux, surtout lorsque les moyens sont limités.

La pire des choses, c'est le gaspillage qui découle de cet aspect. Je me désole chaque jour de recevoir de superbes brochures – que je n'ai guère demandées – de diverses entreprises et de devoir les jeter sans les consulter. L'enveloppe contient habituellement cinq à six brochures. Certains pensent que, parce que je suis consultant, je pourrai les référer à des clients, en contrepartie d'une commission. Pourtant, mon marketing est clair. Je fonctionne sur une base d'honoraires professionnels à l'exception de très rares projets. Le fait d'envoyer votre brochure à quelqu'un qui ne l'a pas sollicitée est contraire au marketing intelligent. Imaginez que vous en envoyez 1000 par an, qui prennent la direction de la poubelle. Vous ne vous êtes pas fait connaître auprès de leurs destinataires et vous avez gaspillé du temps et de l'argent que vous auriez pu investir ailleurs.

Les médias

Beaucoup pensent, et tentent de convaincre les autres, que les médias, c'est la formule magique pour se vendre sans frais et qu'il faut se faire absolument connaître par eux. La réalité est bien différente. Les médias ne sont pas l'outil promotionnel gratuit des entreprises. Ils sont l'outil d'information du public. Il ne sert à rien d'envoyer par télécopie des communiqués de presse. Les intervenants des médias sont fort occupés. Même s'ils recherchent des informations intéressantes, ils n'en manquent pas chaque jour.

Entamer une relation avec les journalistes pour informer plus que pour vendre fait partie du marketing intelligent. Il s'agit de tout un art à développer, mais surtout d'avoir une histoire ou de créer l'événement. Il ne s'agit donc pas d'un moyen sûr de vous faire connaître à bon prix. Pensez au temps et à l'énergie que vous risquez d'investir en le faisant. Ne serait-il pas plus sage de les utiliser dans d'autres créneaux de marketing plus sûrs ? La visibilité gratuite dans les médias est efficace lorsqu'une telle visibilité est répétitive. Vous ou votre entreprise, ou les deux, devenez ainsi reconnus. Mais l'expérience montre qu'un article dans un journal ou qu'une apparition à la télévision ne sera pas plus qu'un élément parmi d'autres à utiliser dans votre marketing. C'est le cas des restaurants qui affichent dans leur vitrine un article écrit par un journaliste vantant leur cuisine.

Les associations

Faire partie d'associations professionnelles ou sociales est une bonne façon de se faire connaître à bon prix. Pour tirer le meilleur profit d'une telle stratégie, il est préférable de choisir celle qui correspond le mieux à nos objectifs, valeurs et centres d'intérêt et d'y être actif, plutôt que de se joindre à plusieurs associations et ne pas y être actif.

Les clubs privés pour gens d'affaires

Les clubs privés sont également un moyen de se faire connaître à bon prix, mais il faut savoir les choisir, selon ce qui correspond le mieux à vos activités. Il faut aussi les fréquenter assidûment et idéalement y être actif : par exemple, faire partie du conseil d'administration. Ils sont surtout utiles pour des contacts personnels qui eux, peuvent vous ouvrir des portes. Mais ils peuvent aussi vous ruiner si vous en faites trop parce qu'ils ne sont pas gratuits !

Les clubs privés font partie du marketing intelligent. Ils vous fournissent de la visibilité, des contacts. Ils vous aident à vous faire connaître à bon prix, à moins d'en abuser.

Ils sont surtout utiles pour les avocats, les comptables, les conseillers en affaires, les courtiers en imprimerie, les traducteurs.

Les gens d'affaires pourront y trouver leur homme d'affaires, leur imprimeur, des clients, des fournisseurs, des partenaires d'affaires.

Nul doute que ce sont des lieux de réseautage d'affaires par excellence pour se faire connaître à bon prix. Mais on les choisit aussi parce qu'on aime se retrouver avec des personnes avec qui on partage la même culture d'affaires, des affinités et certaines valeurs. Ils m'ont permis de me lier d'amitié avec des personnes extraordinaires. Ces amitiés durent depuis plusieurs années. Elles ont un caractère aussi bien professionnel que social.

Quatre étapes majeures pour faire parler de soi

1. Définissez votre image ;
2. Déterminez où se trouve votre clientèle cible ;
3. Choisissez où intervenir en fonction de votre clientèle cible ;
4. Exhibez votre positionnement distinctif.

Principe 20

Identifier la clientèle cible et choisir un positionnement distinctif pour se faire connaître à bon prix.

AVEZ-VOUS DE BONS CONTACTS ?

Réseau de contacts : la clé du succès

Nous vivons dans un monde où nous sommes tous pressés. Et pourtant, les meilleures réalisations sont celles auxquelles nous consacrons du temps. Le marketing intelligent n'existe pas sans les bons contacts. Il ne travaille pas seulement à les établir en permanence. Il veille à les maintenir en bonne forme. Les relations s'entretiennent tout comme l'amitié. Les stratégies du marketing intelligent mettent l'accent sur l'établissement de relations solides. Qu'il s'agisse de clients potentiels, de fournisseurs fiables, de partenaires éventuels, de connaissances qui peuvent nous fournir des conseils judicieux ou de coups de pouce dans les moments difficiles, de contacts qui peuvent nous communiquer une information précieuse ou nous mettre en rapport avec un contact privilégié, disposer de nombreuses relations est un atout indéniable.

À quoi la plupart des gens doivent-ils leur réussite ? Posez-leur la question. La plupart vous avoueront que c'est grâce au fait d'avoir rencontré ou de connaître telle ou telle autre personne.

Les contacts sont une source d'entraide inestimable. Certains peuvent déboucher sur des amitiés qui pourraient durer toute une vie.

Comment s'y prendre

Dans un marketing intelligent, le carnet d'adresses est un précieux compagnon. Il faut en prendre le plus grand soin. Chaque nouvelle rencontre est importante. Une personne qui applique diligemment le marketing intelligent veillera à remettre sa carte professionnelle à son interlocuteur et à recevoir la sienne. Une fois rendue chez elle, elle notera sur la carte la date de réception de celle-ci, le lieu de la rencontre, ainsi qu'un petit commentaire, tel que: personne très intéressante. Avons discuté de... A tel besoin... Aime le hockey... Puis, elle rangera la carte avec les autres cartes professionnelles par ordre alphabétique. Ainsi, si la personne nous rappelle quelque temps plus tard, nous sommes capables de sortir sa carte professionnelle en quelques secondes et de la placer devant nous. Cela nous permettra de nous remettre dans le contexte.

Il ne s'agit pas là tout simplement de ramasser des cartes professionnelles à droite et à gauche et de les collectionner. Le marketing intelligent cherche à établir des contacts avec des gens. Remettre sa carte de visite à quelqu'un, c'est l'inviter à faire de même et, par la même occasion, lui signifier un intérêt initial à poursuivre la relation. Mais pour que ce geste ait une portée plus que symbolique, il faut qu'il soit soutenu par un moment fort de communication.

Qu'est-ce qu'un moment fort dans une situation de première rencontre et d'échange de cartes de visite? C'est un moment qui produit de l'intensité en longueur, un moment magnétique entre votre interlocuteur et vous, nécessaire pour produire l'effet marketing. Ce moment va créer le désir chez votre interlocuteur de vous inclure dans son réseau de contacts et chez vous, d'agir de la même façon.

Mais comment déclencher ce moment magnétique? Un sourire, une bonne poignée de mains, un regard chaleureux, voire profond, qui appelle à la coopération et à la solidarité, la recherche des points communs. Le reste suit. Cette attitude fera en sorte qu'on se souvienne de vous, qu'on sache à peu près ce qu'on pourrait faire avec vous dans un proche ou lointain avenir, qu'on veuille garder soigneusement votre carte professionnelle dans son carnet d'adresse. Et vous, dans cette poignée de main, dans le reflet du regard de votre interlocuteur, dans la recherche des points communs, vous saurez quoi inscrire sur sa carte de visite et quel usage vous en ferez. C'est peut-être un peu utopique, tout cela. C'est pourtant la meilleure façon de s'y prendre pour établir et gérer ses contacts avec succès.

Comment bâtir mais surtout conserver et accroître son réseau de contacts

Allez vers les autres. Intéressez-vous à eux. Cherchez à les aider avant de vous faire aider. Ainsi, vous investirez dans la relation. Comme tout investissement, cette générosité présente un risque : le risque de perdre du temps, de n'obtenir rien en échange, de faire face à des personnes égocentriques qui ne sont intéressées que par elles-mêmes et par l'argent. Mais ce n'est pas grave, vous aurez au moins appris encore un peu plus sur la nature humaine. Allez vers les autres pour le plaisir de la rencontre, sans aucune arrière-pensée, en vous demandant toujours ce que vous pouvez leur offrir avant de chercher à savoir ce qu'eux, ils peuvent vous offrir.

Ne soyez jamais insistant. N'essayez jamais de vendre quelque chose à quelqu'un à tout prix. On vous fuira comme la peste. En revanche, essayez de vous faire connaître et d'exprimer vos besoins. Ayez de la classe ! Les autres ne peuvent pas deviner comment nous pouvons leur être utiles. À nous de le faire avec tact et sans tapage, tout en laissant à l'autre le libre choix de ses actions.

Fréquentez les associations professionnelles, les chambres de commerce, les clubs privés pour gens d'affaires tels que le Club Lion, le Rotary, mais surtout fréquentez-les assidûment. Faites-en moins, mais soyez présents et engagez-vous à fond.

Dans ces cercles quasi intimes, entre gens partageant la même profession ou les mêmes centres d'intérêt, vous apprendrez à vous connaître. On prendra le temps de vous découvrir et d'évaluer votre sens de l'engagement. Ce dernier est le plus important. On choisit la personne avant d'opter pour son service ou son produit. Pour consolider vos contacts, rien n'est plus utile que de montrer votre sens élevé de l'engagement. Il témoignera de votre fiabilité et vous rendra digne de confiance.

Au Club Lion, un groupe que je fréquentais, le secrétaire était traducteur. Je ne comprenais pas qu'il ait le temps de s'occuper des affaires du Club, en plus de sa profession assez prenante. Il m'expliqua un jour en privé que les trois quarts de ses clients provenaient du Club. Il alliait bien son métier et son implication sociale. Mais surtout, il pouvait bâtir et accroître son réseau de contacts et d'affaires au sein d'un groupe en développement constant. Il montrait un sens élevé de l'engagement. Cette attitude attestait sa fiabilité, le rendait digne de confiance et lui était utile pour consolider et accroître ses contacts au sein d'un cercle privé, mais fort lucratif. Nul doute qu'il pratiquait le marketing intelligent : il avait de bons contacts. Il se faisait connaître à bon prix.

Un adepte du marketing intelligent cherche constamment à développer son réseau de contacts. Selon ses besoins, il cherchera à diversifier ses sources ou encore à concentrer son réseau. Le poids de son carnet d'adresses sera donc en fonction de ses objectifs, à la fois professionnels et sociaux. Deux mille personnes ou plus qu'on peut appeler au besoin, c'est un objectif raisonnable dans plusieurs cas.

Nul besoin d'être riche, puissant ou PDG d'une grande société pour construire un réseau de contacts et en bénéficier. Vous devez être charismatique, honnête, droit, mais surtout posséder certaines valeurs telles que le désir d'aider l'autre, le sens de la relation, le sens de la gratitude et de la courtoisie.

La courtoisie, ce n'est pas seulement une question de politesse et de raffinement. C'est aussi le fait de savoir rendre ce que vous avez reçu et de le rendre avec élégance, mais surtout avec discrétion. En fait, il s'agit de l'élément le plus important si on veut s'attirer des contacts fidèles. Il faut donc que vous sachiez rendre la pareille, soit par un échange d'informations, de conseils ou de services. Et si aucune occasion ne se présente à court terme pour faire quelque chose, témoignez au moins votre appréciation et votre reconnaissance envers ces gens par des gestes qui ne ruinent pas, mais dont ils se souviendront agréablement, longtemps après. Lorsque je suis incapable, à court terme, de rendre la pareille à quelqu'un qui m'a donné un conseil précieux, qui m'a rendu service sans que j'ouvre la bouche, je lui souhaite, au plus profond de moi-même, plein de bonnes choses et j'attends impatiemment une occasion pour le lui témoigner ou pour lui être utile. Il ne faut jamais oublier les gens qui nous ouvrent une porte, qui nous donnent notre chance. Cela ne tient souvent qu'à de petits gestes qui ne feront que renforcer la relation et la guider vers une amitié solide.

À ces valeurs bien importantes s'ajoute ceci, qui n'est pas de moindre importance : ne pas juger l'autre et ne dire que du bien de lui en son absence.

Pour parvenir à ce stade des relations humaines, vous devez aimer les autres, les accepter tels qu'ils sont, respecter leurs idées, rester humbles et savoir qu'on peut avoir besoin autant d'un plus petit que soi que d'un plus grand.

La générosité de partager ses ressources et ses valeurs, c'est la base des contacts. Cette générosité ne peut attirer que de bons contacts.

Comment créer un réseau de contacts solide

Voici les six recommandations principales pour créer un réseau de contacts solide :

1. Assister régulièrement aux foires commerciales.

   Un des meilleurs points de départs pour se faire des contacts, trouver de nouveaux clients, de nouveaux fournisseurs, de nouveaux partenaires.

2. Trouver des appuis.

   Créez vos réseaux informels d'appuis professionnels et personnels vers lesquels vous pouvez vous tourner pour avoir des conseils. Vos réseaux n'ont pas besoin d'être formels pour être efficaces.

3. Être dynamique.

   Recherchez et utilisez tous les moyens privilégiés que vous connaissez pour étendre votre réseau. Soyez membres d'associations, participez à des comités.

4. Tous les contacts que vous faites peuvent s'avérer utiles.

   Ne sous-estimez aucun contact.

5. Établir d'abord une relation avec le client.

   Prendre d'abord la peine d'établir une relation avec un client.

6. Prendre le temps de se connaître.

   Prendre le temps d'apprendre à connaître l'autre est fondamental si l'on veut créer une relation solide. Il faut s'efforcer de bien connaître la personne, tant sur le plan de de ses qualités professionnelles que des ses qualités personnelles. Il est souhaitable de choisir une personne qui partage vos idées et il faut entretenir une communication régulière avec elle : courriel, téléphone, etc.

Dix tuyaux pour effectuer un bon contact

1. Accueillez les gens chaleureusement. Respectez les préliminaires, même si les civilités, parfois, durent un peu trop longtemps.

2. Soyez sincères.

3. Engagez-vous dans une conversation amicale au début. Évitez de monopoliser la conversation. Soyez une personne à l'écoute de l'autre.

4. Donnez l'occasion à votre interlocuteur, de temps en temps, de s'habituer à être avec vous, et de temps à autre, celle de parler. N'adoptez pas une approche forte. Mais ne gaspillez pas son temps non plus.

5. Posez des questions. Écoutez attentivement les réponses.

6. Essayez d'apprendre à propos de votre interlocuteur.

7. Évitez que votre interlocuteur ait le sentiment d'être un contact plutôt qu'une personne.

8. Soyez bref, mais amical et courtois.

9. Enfin, sachez que le sourire est un élément important de votre contact, mais aussi votre apparence, votre posture et votre volonté d'écoute.

10. Soyez avant tout vous-même.

Comment effectuer votre présentation

Dans un marketing intelligent, vous avez fait un bon contact lorsque vous avez su écouter votre interlocuteur, mais aussi lorsque vous avez réussi à faire valoir vos produits ou services.

Nous sommes souvent pris au dépourvu, lors d'une réception, d'une rencontre fortuite, d'une réunion chez des amis ou des connaissances, par la fameuse question : «Que faites-vous dans la vie?» Autrement dit : «Qui êtes-vous?» Il faut donc se présenter de façon brève. Une personne qui pratique le marketing intelligent profitera d'une telle situation pour entreprendre un peu de marketing. Certes, on n'est peut-être pas là pour vendre nécessairement. Mais un partisan du marketing intelligent sait fort bien que la vente peut se faire partout, peu importe où l'on se trouve. Il prendra donc soin de toujours se munir des trois points suivants pour effectuer une présentation courte, mais assez complète et efficace.

Voici les 3 points à conserver en mémoire :

1. Énumérez tous les avantages de faire affaires avec vous, un à un, en mettant l'accent sur les avantages uniques d'acheter de vous. Plus votre client potentiel en saura, plus il y aura de chance qu'il achète chez vous ou, à tout le moins, qu'il fasse appel à vous le moment venu.

    Vous devez être en mesure d'énumérer cela de la même façon que vous seriez capable de donner votre nom et votre adresse.

    Par exemple, vous pourrez dire : je vends des ordinateurs neufs, à très bon prix, avec une garantie de trois ans. Je donne différentes possibilités d'achat à crédit.

2. Mentionnez votre succès passé.

    Par exemple, vous ajouterez ceci après une courte respiration : «Je fais cela depuis une dizaine d'années. J'ai eu, l'année passée, le prix du meilleur commerce.»

3. Soyez fier de vos prix, de vos avantages et de votre offre.

    Vous pourrez dire, par exemple : «Nous avons les meilleurs prix, la meilleure garantie et un service après-vente extrêmement efficace.»

Entretenir son réseau

Beaucoup de gens savent bien bâtir un réseau de contacts. Ils sont également habiles à le faire accroître. En revanche, ils ont de la difficulté à l'entretenir. Soit qu'ils croupissent dans la routine ou que leur réseau est rendu trop grand pour pouvoir le gérer adéquatement.

Comment faire pour garder la flamme allumée ?

Prenez des nouvelles des personnes que vous connaissez. Un coup de fil suffit ou un petit mot par courriel. Notez les anniversaires de vos contacts et souhaitez leur un joyeux anniversaire. Cela donne une touche personnelle. Félicitez-les pour leurs succès. Rien ne fait davantage plaisir que de s'entendre féliciter pour un succès. N'hésitez pas à offrir des cadeaux symboliques. Surtout, souvenez-vous de dire *merci* à ceux qui vous aident, et rendez-leur service à votre tour, dès que l'occasion se présente. Si vous voulez pouvoir compter sur les autres, il faut qu'ils puissent eux aussi compter sur vous. C'est la raison d'être du réseautage !

Il ne faut jamais cesser d'entretenir un réseau. L'entrepreneur qui ne veille pas à établir et à entretenir un réseau ne sera pas en affaires bien longtemps.

Le suivi

On n'insistera donc jamais assez sur l'importance du suivi. La plupart des gens accusent d'importantes lacunes à ce sujet.

Il est essentiel, pour qui veut consolider son réseau de contacts, d'effectuer un suivi auprès des personnes rencontrées et de développer des relations solides. Nous dépendons tous principalement des relations que nous entretenons.

Il ne faut pas négliger de faire des efforts soutenus, persévérants et tenaces pour pouvoir consolider son réseau, ouvrir de nouvelles portes et établir de nouvelles relations, même si l'activité de l'entreprise nous occupe énormément. Dans bien des cas, ces efforts débouchent sur des amitiés solides. Les liens qui seront établis peuvent être très spéciaux. Vos contacts d'affaires peuvent devenir des amis et non pas seulement des partenaires commerciaux. La dimension personnelle est un aspect très intéressant et très gratifiant.

À faire et à éviter

Pour entretenir son réseau, le marketing intelligent sait distinguer entre ce qu'il faut faire et ce qu'il faut éviter de faire. C'est la règle d'or pour entamer de bons nouveaux contacts et surtout pour les entretenir.

À faire

- Apprenez à vous présenter rapidement, de façon claire et précise.

- Envoyez un petit mot au nouveau contact en lui disant le plaisir que vous avez eu à faire sa connaissance. N'en voulez pas trop à ceux qui ne vous répondent pas ou vous répondent plus froidement. Dites-vous tout simplement que vous n'êtes sans doute pas allés à la même école.

- Transmettez à vos contacts des informations que vous pensez utiles pour eux.

À éviter

- Abuser de ses contacts.

  Faire appel à vos relations à tout bout de champ. Avoir des demandes toujours exigeantes en termes de temps ou d'engagement. Il s'agit là de la meilleure façon de faire le vide autour de vous. En abusant de vos contacts, vous les étouffez.

- Couper les ponts.

  Négliger les nouveaux contacts au profit des autres. Les meilleures relations sont celles qu'on entretient et qui se raffermissent avec le temps. Les anciennes relations ont souvent bien meilleure chance de durer que les nouvelles qui sont encore fragiles ! Il ne faut jamais couper les ponts. Les plus belles relations qu'on a sont souvent les plus vieilles.

- Utiliser son réseau seulement quand tout va mal.

  Soignez d'abord vos relations quand tout va bien. On ne va pas demander du crédit à sa banque quand tout va mal. Il vaut mieux le faire quand on n'en a pas vraiment besoin.

Vous ferez certainement des erreurs. L'important, c'est d'apprendre de vos erreurs.

Diversifiez vos contacts

Afin de garder un fonds de roulement suffisant de contacts dans votre réseau, le marketing intelligent recommande fortement la diversification des contacts. Les PME ont tout intérêt à diversifier leurs contacts, leur clientèle et leurs fournisseurs pour réduire leur dépendance.

Principe 21

Croire fermement à l'établissement des contacts. Demeurer en relation permanente avec vos contacts.

LES CLIENTS QU'IL NE FAUT PAS CIBLER

Comment s'y prendre ?

Dans un marketing idéal, il n'y a que des clients faciles. Malheureusement, la réalité est parfois tout autre. Avons-nous le choix de ne cibler que les clients accommodants ? Dans un minimarketing, cela est possible, puisque ce dernier est un marketing ciblé. Il utilise des outils particuliers tels que les lettres personnelles et le suivi.

Mais comment s'y prendre ?

Le marketing intelligent a pour objectif de faire des profits aux moindres coûts. Or, c'est connu, les clients difficiles font perdre beaucoup de temps à l'entreprise. Le marketing intelligent apprend à identifier rapidement ces clients et à gérer sa communication avec eux. Il proscrit uniquement ceux qui exigent à la longue trop d'efforts, au point de ne plus être rentables.

Pour voir plus clair dans tout cela, voici un survol des divers types de personnalités de clients relativement difficiles et comment les aborder. Car si vous voulez vraiment pratiquer le marketing intelligent, il faut d'abord apprendre à débusquer ces clients, les gérer et éliminer ceux dont le comportement affecte la rentabilité de l'entreprise.

L'agressif

Il vous attaque, parfois sans raison. Il ne le fait pas nécessaire-ment par méchanceté. Il est tout simplement de nature provo-cante. Il a tendance à attaquer, à rechercher la lutte. C'est un batailleur qui possède l'instinct d'agression. Il ne peut rien contre son tempérament agressif. Il subit lui-même ses propres impulsions agressives et les fait subir aux autres, sans s'en rendre compte. Lorsqu'il manifeste de l'agressivité, le mieux serait de ne pas considérer cela comme un affront personnel. La meilleure technique serait de réorienter la communication avec lui pour la poursuivre de façon harmonieuse. Ainsi, vous ne ris-quez pas de perdre un client inutilement.

Le colérique

Il subit les effets de son propre caractère. Laissez-le vider son sac. Il va finir par se calmer.

L'exigeant

Difficile à contenter, il en voudra toujours plus. Il est habitué à exiger beaucoup. Par conséquent, il lui faut beaucoup pour atteindre la limite de la satisfaction. Il est donc difficile à con-tenter. Il s'agit d'une personne difficile et pointilleuse, qui vous fera perdre votre temps et vos énergies. S'il est très exigeant et qu'il ne vous paie pas en retour, vous risquez de pénaliser vos autres clients et surtout de ne plus pouvoir vous adonner à votre marketing intelligent comme il le faut.

Le franc excessif

C'est celui qui pense devoir tout dire et tout vous expliquer. Il pense que la sincérité, c'est tout dire, et non pas que ce qu'on dit soit vrai. Écoutez-le, pourvu qu'il ne vous fasse pas trop perdre de temps. Vous pouvez apprendre bien des choses sur lui et sur la meilleure façon de travailler avec lui.

Le gentil

Il vous dira tout ce que souhaitez entendre. C'est en général une brave personne, agréable, bienveillante. Traitez-la avec la même gentillesse, à défaut de la heurter ou de forger chez elle une mauvaise opinion de vous.

L'hypocrite

Il ne dit rien, mais il observe tout et enregistre tout. Méfiez-vous de lui et restez sur vos gardes. Il ne vous permettra aucune erreur.

L'indécis

Il a peur de prendre des décisions et doit consulter tout le monde. Essayez de gagner sa confiance.

L'insatisfait perpétuel

Quoique vous fassiez avec lui, il sera toujours mécontent. Il aura toujours quelque chose à redire. Avec lui, n'entrez pas dans les détails, vous n'en finirez jamais. Mais surtout, ne le lui faites pas sentir, parce que vous créerez chez lui des frustrations inutiles.

Le *je sais tout*

Il connaît beaucoup de choses ou pense tout savoir. Écoutez-le un peu. Le plus important, c'est de lui éviter de perdre la face.

Le négatif

Il possède une attitude négative, ancrée dans son cœur et dans son esprit. Il ne fait que des critiques, il n'approuve rien. Même les éléments fondés ou réels que vous lui apportez le laissent sceptique. N'essayez surtout pas d'améliorer son comportement ni sa vision. C'est inutile. Mais surtout, évitez qu'il puisse influencer vos idées inconsciemment. Restez alerte face à ses insinuations périlleuses.

Le silencieux

Il est peu communicatif. Personnage discret, il porte en lui des valeurs fortes. Acceptez le fait qu'il est réservé. Vous auriez souhaité pouvoir mieux communiquer avec lui, mais tant pis ! Gardez une attitude agréable avec lui et surtout prenez garde de ne pas le blesser. Il est habituellement très susceptible.

Principe 22

Proscrire les clients qui exigent trop d'efforts, au point de ne plus être rentables.

LE CONTRAT DE CONFIANCE

La confiance : une condition sine qua non

Lorsqu'on est en affaires, le marketing doit être basé sur la transparence. Celle-ci amène la confiance.

Je reçus un jour, par courriel, une liste de produits et leurs prix en promotion. Les prix semblaient fort intéressants. C'était pour des cartouches d'imprimante. Je pouvais économiser environ 25 % en commandant mes cartouches de ce fournisseur. Il n'y avait pas de numéro de téléphone dans le courriel qu'il m'adressait. Je me renseignai donc par Internet sur la façon de commander. Le fournisseur me répondit qu'il fallait envoyer un chèque et qu'il m'enverrait la commande ensuite. Il m'envoya une soumission sans le nom ni l'adresse de sa compagnie dessus. La soumission était intitulée *Facture*. Il me communiqua son adresse par la suite par courriel. Je lui demandai son numéro de téléphone. Il ne me le donna pas. Je décidai donc, malgré le prix attrayant, de ne pas commander de cartouches chez lui. Il s'agissait d'une perte de confiance de ma part vis-à-vis de ce fournisseur.

La chaîne de magasins Darty, en France, a compris, depuis les années 1970, l'importance de la confiance. Depuis le début, Darty a adopté comme slogan : *Darty, le contrat de confiance*. Cette entreprise dit bonjour à la France chaque matin à la même heure, soit 8 h du matin, et elle lui dit bonsoir chaque soir à 20 h à la même station radio. Et cela dure depuis plus de 30 ans! Son slogan n'a jamais changé. Toujours le même : *Darty, le contrat de confiance.*

Comme Darty, il est important pour chacun de nous, quel que soit le secteur dans lequel nous œuvrons, d'instaurer un contrat de confiance, non seulement entre notre entreprise et nos clients, mais aussi avec nos fournisseurs et chaque personne avec qui nous travaillons. Cet élément est indispensable pour faire des affaires.

C'est grâce à la confiance des autres que j'ai pu faire des réalisations professionnelles intéressantes. C'est aussi parce que j'ai fait confiance aux autres. Car la confiance doit être réciproque. Le marketing intelligent doit susciter la confiance et la raffermir en permanence.

Comment susciter la confiance ?

L'honnêteté, le sens de l'engagement et la transparence sont des mots que nous entendons souvent dans le cours de notre vie. Ceux qui saisissent leurs significations à leur juste valeur et les traduisent dans leurs actes, de façon authentique, ne peuvent faire autrement qu'inspirer la confiance à leurs clients : car le vrai s'accorde avec le vrai.

J'ai découvert au fil des années une réalité fort intéressante. Même s'ils ne sont pas d'accord avec vous sur un sujet quelconque, les gens apprécient votre sincérité et vous font confiance. Parce que la sincérité est l'élément déclencheur de la confiance. Dans la sincérité, on trouve tout : l'intégrité, le sens de l'engagement, la transparence, l'honnêteté, la bonne foi... tout pour mettre en confiance un client potentiel. Tout trucage ébranle la confiance et tue le marketing intelligent.

Pensez-y un moment : la confiance régit tous vos rapports avec les autres. Donneriez-vous le feu vert à un dentiste pour vous faire un traitement de canal si vous n'aviez pas confiance en lui? Accepteriez-vous de travailler pour un patron en qui vous n'avez pas confiance? Patron, accepteriez-vous de recruter une personne qui ne vous inspire pas confiance? Confieriez-vous votre enfant à une gardienne en laquelle vous n'avez pas confiance? Achèteriez-vous un forfait vacances d'un agent de voyages en qui vous n'avez pas confiance? Auriez-vous pour avocat ou pour comptable une personne en qui vous n'avez pas confiance? Achèteriez-vous des produits en lesquels vous n'avez pas confiance? La liste est bien longue.

Vous êtes-vous vraiment demandé pourquoi vous avez confiance en ces gens avec qui vous faites affaire? Pas vraiment, peut-être, parce que la confiance est davantage instinctive que rationnelle. Si vous réfléchissez vraiment aux raisons qui vous ont poussé à choisir de travailler avec eux, vous arriverez certainement à cette conclusion: parce qu'ils vous semblent intègres, parce qu'ils vous disent toujours la vérité, parce qu'ils respectent leurs engagements, parce qu'ils sont vrais.

C'est ainsi que la confiance se gagne aussi en marketing. C'est ainsi que nous la suscitons autour de nous et que nous instaurons entre nous et les autres ce contrat de confiance si important pour faire des affaires. C'est ainsi qu'on applique une fois de plus le marketing intelligent.

Principe 23

La confiance est un élément indispensable. Il faut l'instaurer avec tout le monde. C'est par la sincérité qu'on parvient à établir la confiance avec ses clients.

CE QUI TUE LE MARKETING INTELLIGENT

Le manque de jugement

Lors de ma visite d'un salon, je m'approchai d'un stand dans le pavillon des inventions. Sur une grande pancarte, il était écrit ce qui suit: «Invention. Vous avez des idées. Entrez nous voir.» Deux individus imposants par leur stature bloquaient le comptoir de leur kiosque. Ils étaient bien occupés à discuter. Je me suis approché une première fois, puis une deuxième et enfin une troisième, mais ils ne m'ont même pas regardé, toujours occupés par leur discussion. Je sentis tout d'un coup le poids de la barrière physique, mais aussi psychologique. Il m'était impossible de prendre les brochures placées sur le comptoir derrière les deux grands hommes enflammés dans leur discussion, se racontant des histoires à qui mieux mieux. Je rôdai autour d'eux durant quelques minutes tout en tentant de me faire remarquer. Rien à faire. La situation empirait. Ils étaient tellement pris dans leur conversation qu'un éléphant aurait pu passer devant eux sans qu'ils s'en rendent compte. Je m'éloignai en pensant à quel point de telles attitudes pouvaient tuer tout effort de marketing de la part de leur entreprise.

L'impatience

Lorsqu'on est adepte du marketing intelligent, il ne faut jamais oublier cette devise: patience égale profit. Au moment où votre plan commence à produire ses effets, vous faites un pas en arrière en changeant ce plan. La plupart des entrepreneurs le font. Cela tue le marketing intelligent. Tenez-vous-en à votre plan. Créez un programme raisonnable et ne le changez pas, attendez qu'il fasse ses preuves. Combien de temps cela prendra-t-il? Peut-être trois mois, si vous êtes chanceux, six mois probablement, et peut-être aussi long qu'un an! Mais vous ne saurez jamais si le plan fonctionne dans les premiers soixante jours. Plus longtemps vous vivrez avec ce plan, plus profond sera votre sens de l'engagement. Pour survivre aux autres, dans une mer agitée, vous devez nager et continuer à nager... C'est à la fin d'une année qu'on peut évaluer la distance parcourue. Surtout, ne vous attendez jamais à des miracles. Vous risquez d'être déçu.

Tarder à répondre ou ne pas répondre

La durée maximum pour répondre à un appel téléphonique, un courriel, une lettre, une télécopie, est de quarante-huit heures, soit deux jours. Au-delà de cette période, vous avez démontré votre inefficacité, votre incapacité à gérer vos affaires, mais surtout vous avez dit à votre interlocuteur : «Tu n'es pas important pour moi.» Quoi de pire pour tuer le marketing intelligent! Ne pas répondre du tout, c'est vous classer hors catégorie.

Lorsque j'avais mon institut de gestion et de langues, tous nous disaient qu'ils avaient choisi notre école avant tout parce que nous leur avions répondu vite. Nous répondions à toute correspondance dans les 24 heures qui suivaient la réception. Cela faisait partie de la culture de notre organisation. Et cela était payant. Lorsque notre concurrent répondait à ces mêmes clients qui nous avaient écrit, ces derniers avaient déjà finalisé leur inscription avec nous.

Les mauvaises informations

La prolifération de l'information a nécessairement augmenté le nombre de mauvaises informations. On ne compte plus les dirigeants d'entreprise qui évaluent mal la situation à cause de mauvaises informations. Ils ne réalisent pas à quel point cela endommage leur marketing. Ils se basent sur des chiffres à droite et à gauche, qui changent du jour au lendemain et selon leurs auteurs. Ils prennent des décisions en pensant qu'il s'agit de bien bonnes décisions pour leur entreprise, alors que ces mêmes décisions sont en train d'affaiblir le marketing intelligent, et par conséquent, d'entraîner leur organisation dans l'agonie.

Faire le contraire de ce que vous dites

Nous entendons chaque jour des chefs d'entreprise associer la philosophie de leur organisation à des valeurs humaines extraordinaires, pour nous rendre compte par la suite qu'il n'en est rien. Ils parlent de valoriser la compétence, la qualité, les employés, les clients... Et voilà que des gens incompétents prennent la place d'autres plus compétents, que la qualité est reléguée au second plan au profit des bénéfices, que des employés souffrent d'un manque de valorisation au travail, que des clients sont de plus en plus mal servis. Tous ces vœux pieux, qui souvent mènent à un échec, tuent le marketing intelligent.

Voir les choses de façon trop positive

Le fait de voir les choses de façon trop positive enlève la possibilité du doute. Celui-ci peut faire éclore l'innovation. L'excès de positivisme risque de la faire somnoler. Tout responsable de marketing, entrepreneur ou chef d'entreprise qui voit la situation de son organisation de façon trop positive ne ressent pas le besoin d'une structure de marketing puissante. Le résultat est bien simple : l'entreprise n'arrive pas à implanter les outils extraordinaires du marketing intelligent.

Se leurrer en pensant que des produits et services de qualité moyenne peuvent se vendre et que le marketing peut tout sauver et tout compenser

L'entreprise qui pense qu'elle est capable de tout vendre avec du bon marketing se soucie peu d'améliorer ses produits et services. C'est alors que tout se dégrade, parfois lentement, mais sûrement.

Trop de promotions... des bas prix... et des produits gratuits

Rien ne tue davantage le marketing intelligent que le fait d'offrir trop de promotions, de baisser trop ses prix et surtout d'offrir des produits gratuits.

Lorsque je m'occupais du magazine international d'affaires, j'offrais, au début, un mois gratuit aux annonceurs pour qu'ils annoncent leurs produits et services dans les petites annonces. Il fallait donc remplir les premiers numéros, le temps d'avoir une clientèle suffisante. Ceux qui bénéficièrent de cette offre ne prirent jamais des annonces par la suite. Ceux qui payaient leurs annonces les renouvelaient toujours. J'en ai parlé à un ami qui gère six sites Internet de commerce international. Il m'a dit qu'il vivait la même expérience depuis plusieurs années.

Quant aux promotions et aux bas prix, le jour où on cesse d'en faire, il n'y a plus de ventes.

Tous ces trucs tuent le marketing intelligent.

Lancer une mauvaise marque à côté d'une bonne marque

Le fait de lancer une mauvaise marque à côté d'une bonne marque tue cette dernière. Beaucoup ne réalisent pas l'impact négatif qu'une telle action peut avoir sur leur image.

Votre apparence et votre langage

Ce n'est pas vrai que les apparences n'y sont pour rien. Lorsque vous rencontrez quelqu'un pour la première fois, vous y allez automatiquement avec vos premières impressions : sa tenue vestimentaire, son comportement, sa poignée de main, ses réactions, mais aussi... son langage. Nous pouvons compromettre notre succès à cause de la façon dont nous utilisons la langue, tout en ne le sachant pas parce que les autres sont peu enclins à nous dire que ce que nous disons est déplacé. Comment améliorer votre langage ? Surveillez-vous.

Les détails apparemment sans importance

Dans le milieu des années 1980, le Québec vivait un regain d'activité dans le secteur de l'immobilier. Un ami d'enfance venait souvent me rendre visite à la maison. Il tentait de me persuader d'investir avec lui dans ce domaine. J'étais encore un peu novice en matière d'immobilier. Lui, il avait plus d'expérience dans ce secteur. Il me proposa que nous achetions ensemble un espace commercial au rez-de-chaussée d'un immeuble de la rue Berri, au coin de la rue Sainte-Catherine, en vue de le louer comme magasin. Je téléphonai à un ami, grand spécialiste des locations commerciales à Montréal. Il offrit de me rencontrer sur place afin qu'il puisse évaluer la situation et me conseiller là-dessus. Après notre rencontre sur les lieux, il me recommanda de ne pas entreprendre un tel investissement, en dépit du fait que l'offre était alléchante. Il m'expliqua que le soleil se trouvait dans une autre direction que l'espace commercial, ce qui, selon lui, était une raison suffisante pour avoir de la difficulté à trouver un locataire. Je rapportai à mon ami d'enfance les résultats de cette expertise. Il décida quand même de s'associer avec un autre ami dans ce projet. Deux années plus tard, j'apprenais qu'ils n'avaient pas encore pu louer l'endroit, malgré tous les efforts de marketing qu'ils avaient faits. J'ai associé plus tard cet événement apparemment banal à mes réflexions en marketing. J'en ai conclu que l'emplacement d'un commerce pouvait aussi bien renforcer que tuer le marketing intelligent. C'est ce que, d'ailleurs, j'ai pu observer par la suite. Beaucoup de commerces, qui semblaient appliquer un marketing intelligent et avoir tout pour réussir, gâchaient tous leurs efforts à cause de détails apparemment insignifiants, comme le soleil, qui ne se trouvait pas en direction du magasin.

Beaucoup se sont demandé pourquoi les Ailes de la Mode, ce beau magasin du centre-ville de Montréal, n'avait pas pu décoller. Le concept était beau. Sans doute, des gens très intelligents, très expérimentés et très doués dirigeaient cette grande entreprise. Dès le premier jour de son ouverture, je me suis rendu sur place pour le visiter. Je n'arrivais pas à situer l'entrée. Je m'étais dit en moi-même : quelle erreur de marketing ! Comment un groupe aussi chevronné pouvait-il omettre un tel détail ! Certes, un détail apparemment sans importance, mais qui tue certainement le marketing intelligent. Je me retrouvai soudainement projeté à l'intérieur, sans trop que je sache comment. Je me sentais perdu. Étais-je bien dans les Ailes de la Mode ou ailleurs ? Je quittai les lieux cinq minutes plus tard et je ne suis jamais revenu à cet endroit. Je me suis alors dit que plusieurs avaient sans doute eu la même réaction que moi. Je n'ai jamais parlé de cet événement autour de moi. Je voulais connaître les réactions des autres. La plupart revenaient de leur visite avec la même idée que celle j'avais eue, et comme moi, ils n'en parlaient plus.

Principe 24

Voici les pires ennemis du marketing intelligent : le manque de jugement, l'impatience, tarder à répondre ou ne pas répondre à un message, une mauvaise apparence ou un mauvais langage.

CE QUI RENFORCE LE MARKETING INTELLIGENT

Les plaintes

Les plaintes, c'est le meilleur moyen de renforcer le marketing intelligent. Y avez-vous pensé?

La façon de répondre à une plainte, fondée ou pas, pèse énormément dans la balance du marketing. Elle projette la vraie image de l'entreprise. Il arrive souvent qu'un client trouve que votre produit ou service n'est pas à la hauteur de ses attentes. Quel que soit l'amour que vous portez à votre entreprise, vous devez gérer les plaintes avec le plus de recul possible.

Votre client peut exprimer sa déception face à votre produit ou service, soit verbalement, soit par téléphone, soit par écrit, soit par lettre ou par courriel. Quel que soit le moyen utilisé pour exprimer une plainte, celle-ci mérite toute votre attention.

Le plaignant exprime habituellement ses griefs. Il évoque la date à laquelle il a acheté votre produit ou a eu recours à vos services. Ensuite, il exprime sa déception en disant pourquoi. Ses doléances peuvent porter sur un retard dans le service, aussi bien que sur la qualité même du service. Il peut également questionner votre professionnalisme et vos moyens. Enfin, il est possible qu'il vous invite à fermer vos portes si vous n'êtes pas en mesure de répondre aux attentes de vos clients correctement!

À vous de jouer maintenant. Souvenez-vous que votre manière de gérer les plaintes peut renforcer le marketing intelligent. Excusez-vous d'abord sincèrement du traitement accordé au client par votre personnel. Reconnaissez qu'il y a matière à amélioration de votre part, tout en rappelant que votre objectif est d'offrir un service de qualité à chaque occasion. Annoncez au plaignant les mesures que vous avez prises à la suite de sa plainte, afin d'améliorer votre service. Terminez en réitérant le fait que vous poursuivez sans relâche votre objectif de bien servir vos clients. Trouvez le moyen d'exprimer le fait que ce qui s'est passé avec lui est un cas rare parmi le grand nombre de clients que vous servez. Ainsi, vous aurez contribué à renforcer votre image et, par conséquent, votre marketing.

Lorsque j'avais mon institut de langues, il y a quelques années, il arrivait parfois que des étudiants en visite se plaignent de certains aspects concernant la méthode d'apprentissage que j'avais créée. Rien de plus normal. Je savais fort bien qu'il était impensable de susciter l'unanimité autour de n'importe quelle méthode quelque extraordinaire que celle-ci pût être. Cela était encore plus difficile lorsqu'une telle méthode était quelque peu révolutionnaire, comme celle que j'avais développée, d'autant plus qu'elle s'adressait à des clients locaux et à d'autres en visite, issus d'une quarantaine de pays. Dans les années 1990, l'approche pédagogique n'était pas ce qu'elle est aujourd'hui. La méthode que j'avais mise sur pied intégrait des chansons en classe. J'ai toujours pensé que les paroles accompagnées de musique étaient un excellent moyen d'apprendre une langue, parce qu'elles sont répétitives. J'avais aussi amené des appareils téléphoniques en classe pour simuler des entretiens téléphoniques. Les étudiants, qui étaient habitués, dans leur pays, à étudier la grammaire, et pour qui une chanson en classe ne faisait pas sérieux pour un public adulte, se plaignaient. Je tenais toujours à les rencontrer personnelle-ment. Je prenais la peine de leur expliquer la méthode. Ils deve-naient vite nos meilleurs vendeurs. Ils prolongeaient leur séjour dans notre école. Chacun d'eux nous référait en moyenne deux ou trois de ses amis. L'un d'eux nous avait amené 15 amis en l'es-pace de 2 mois. C'est ainsi que nous avions réussi à bâtir très vite une vaste clientèle. À chaque fois que j'entendais parler d'une plainte, j'étais content, parce que je savais qu'elle allait augmenter le nombre de nos clients par la suite. Cela m'aidait parfois aussi à mieux répondre aux besoins particuliers du client, en lui recommandant, par exemple, de quitter le cours de groupe pour un cours privé, afin de mieux cibler une compé-tence linguistique spéciale. De plus, ce contact avec mes clients me fournissait le pouls du marché. Il me permettait quelquefois d'apporter certains ajustements à notre concept. Aucun sys-tème n'est parfait.

Les clients ont besoin de comprendre. Ils ont besoin de savoir que ce qu'on fait on le fait pour leur bien. Ils veulent aussi souvent résoudre une problématique personnelle. Rien de plus légitime. Une fois qu'ils ont compris le bien-fondé de nos produits ou services, ou qu'ils ont pu résoudre leur préoccupa-tion majeure, ils peuvent se révéler nos meilleurs ambassa-deurs.

Le marketing intelligent donne libre cours aux plaintes. Il sait que les plaintes peuvent entraîner une meilleure communi-cation avec les clients si elles sont bien gérées, et parfois, aussi, des améliorations au sein de l'entreprise, à son avantage. C'est ainsi que j'ai pu apporter plusieurs changements au sein de mon institut au fil des ans, qui se sont avérés très positifs. Ces changements ont bénéficié à l'ensemble de mes clients et par le fait même à mon entreprise. Quand elles sont bien gérées, les plaintes renforcent le marketing intelligent.

La régularité

Pour atteindre une régularité, ne changez pas de média. Ne changez pas de message. Ne disparaissez pas du public durant de longues périodes. Lorsque vous serez prêt, soyez prêt pour être là tout le temps, régulièrement et pour une bonne période de temps. Au lieu de diffuser une grande publicité au cours de quelques mois, faites plusieurs annonces durant le même mois. Consistance égale familiarité. Familiarité égale confiance. Confiance égale ventes. Bien entendu, tout cela prendra son sens, à condition de livrer la marchandise et qu'elle soit de qualité. La régularité renforce le marketing intelligent. Elle lui fournit le rythme nécessaire pour créer la confiance qui entraîne le succès.

Le fait de poser les bonnes questions

La meilleure façon de renforcer le marketing intelligent, c'est de se poser les trois questions suivantes :

1. Quelles offres de rabais vais-je utiliser pour inciter les clients à essayer mes produits ou mes services ?

    Il s'agit là de la plus forte question du marketing intelligent. Les réponses que vous apporterez à cette question donneront du tonus à votre marketing intelligent. Elles lui fourniront une puissance inégalable qui générera des résultats immédiats qui vous surprendront.

2. Comment vais-je faire le suivi de mes activités commerciales hebdomadaires et les analyser afin d'évaluer ma progression vers mon objectif général pour l'année ?

    C'est une autre question aussi importante. Elle va vous permettre d'instaurer un système intelligent de suivi qui va renforcer votre marketing intelligent.

3. Quels experts vais-je consulter pour m'aider à tirer le maximum de mes stratégies de marketing ?

    Le choix d'un ou de plusieurs experts, selon vos besoins, va vous permettre d'obtenir des conseils externes impartiaux qui maximiseront vos stratégies et vous apporteront des idées pointues.

Le pouvoir de l'image

Le marketing intelligent comprend le pouvoir de l'image. Une personne qui applique le marketing intelligent en est parfaitement consciente. L'image nous colle à la peau. Il est souvent difficile, par la suite, de s'en débarrasser.

Ce serait une grave erreur de penser qu'on peut se passer d'image en marketing. C'est là où on en a le plus besoin. Développer une bonne image n'est pas tellement difficile. Il suffit de soigner quelques petits détails.

Voici quelques conseils :

1. Soyez bien habillé en tout temps.

2. Levez-vous et raccompagnez les personnes qui vous visitent au bureau. Elles se sont déplacées pour venir vous voir. Elles ont besoin de vous, mais vous aussi, vous avez besoin d'elles.

3. Soyez aimable et courtois. Vous n'y perdrez rien.

4. Traitez chaque personne avec respect.

5. Souriez.

La bonne image se bâtit avec tout le monde, avec le temps. Elle est le résultat d'actions concrètes, non seulement envers vos clients, mais aussi et surtout envers vos employés, vos fournisseurs, vos investisseurs, vos partenaires et la population en général, autant de personnes qui contribuent à faire de votre image ce qu'elle est. L'image fait partie des relations publiques. Elle en est l'élément principal. Elle construit votre réputation. Et il n'y a rien de plus fragile que celle-ci. Bâtir sa fiabilité, c'est-à-dire son image, sa réputation, cela peut prendre des années. Il ne suffit souvent que de quelques minutes pour la perdre. Il est tellement difficile par la suite de se débarrasser d'une mauvaise étiquette. L'expérience prouve qu'un bon produit ou service n'amène pas nécessairement une vente, alors que la fiabilité, la bonne image et la réputation possèdent un tel pouvoir.

Habillez-vous bien mais habillez aussi bien votre entreprise

Vous souvenez-vous de votre adolescence? Vous choisissiez avec soin les vêtements que vous deviez porter pour la journée. Et lorsqu'il y avait une fête à l'école ou chez des amis, vous choisissiez votre plus belle chemise. Vous vous sentiez mieux, plus sûr de vous. Cela est valable aussi en affaires. En vous habillant mieux, vous réussissiez mieux à l'école et dans vos relations avec les autres. Il ne s'agit pas de porter des vêtements luxueux ou de la dernière mode. Il s'agit tout simplement que vos habits soient propres, conformes aux temps modernes... Ainsi, vous aurez un meilleur sentiment vis-à-vis de vous-même et ferez une meilleure impression aux autres.

L'habit fait-il le moine en marketing?

Oui, si vous voulez être perçu comme une personne professionnelle qui a réussi et qui est digne de confiance.

Soignez également votre entreprise pour réussir. Que vos imprimés soient parmi les plus professionnels, que vos bureaux soient ordonnés, propres et agréablement meublés!

Les personnes de qualité

Ce qui fait la différence dans tout, ce sont les personnes. Les adeptes du marketing intelligent ne tolèrent pas les gens médiocres. Ils recherchent des personnes de qualité, que ce soit comme employés, comme fournisseurs ou comme partenaires. Ce sont des personnes authentiques, droites, honnêtes, intègres et sincères, qui font preuve de jugement, qui prennent le temps de connaître les autres, qui ne font pas de l'argent ou du prestige leurs seuls objectifs, qui sont courtois, qui respectent leurs engagements, qui sont respectueux des autres, qui ont à cœur la qualité dans tout ce qu'ils font, qui savent inspirer et motiver les autres. Associez-vous à ces personnes dans tout ce que vous faites. Vous n'en sortirez que gagnants. Les personnes de qualité renforceront énormément votre marketing intelligent.

Faites ce que vous dites... dites ce que vous ferez

Si vous faites ce que vous dites, vous renforcez votre fiabilité et par conséquent, encore plus votre marketing intelligent. Mais le summum du renforcement du marketing intelligent, c'est de dire ce que vous comptez faire, puis de faire ce que vous avez dit que vous feriez.

Les partenariats stratégiques

Voici un autre élément qui renforce le marketing intelligent : les partenariats stratégiques. Dans un monde aussi interconnecté que celui d'aujourd'hui, les alliances et les réseaux vont connaître une popularité croissante. De bons partenariats donnent encore plus de vigueur à votre marketing intelligent. Assurez-vous surtout d'effectuer les bons choix. Tout partenariat, quel qu'il soit, met votre image en jeu.

La fusion

Elle naît le plus souvent d'une inquiétude, celle de voir qu'un seul client représente l'essentiel des activités et des revenus de l'entreprise. À cela s'ajoute souvent un problème de relève, dans une entreprise où tout repose sur les épaules d'une personne.

Pour amorcer un tel virage, il faut avoir une vision très claire de la direction qu'on veut prendre. Le plus souvent, c'est le plus gros qui avale le petit. Il arrive aussi parfois que ce soit le petit qui réussit à avaler le gros en gardant le contrôle de la cœntreprise. Le marketing intelligent implique, dans un tel cas, de restructurer les opérations communes, en ayant comme objectif la croissance des deux partenaires. C'est ainsi que le marketing intelligent se trouvera renforcé par une fusion bien ficelée.

La stratégie

Ces alliances ne sont généralement pas le simple fruit du hasard. Elles relèvent d'une stratégie réfléchie résultant d'un marketing intelligent. Ce dernier est renforcé en mettant à contribution chaque composante de façon à participer à la force de l'ensemble. Alors que l'un est déjà bien implanté dans le marché local et auprès de ses clients nationaux, l'autre est branché sur le monde. Grâce à une telle alliance stratégique, l'entreprise locale se constitue une clientèle impressionnante. Ce genre d'alliance favorise habituellement deux orientations stratégiques bien précises : l'ouverture sur le monde et l'intégration des différentes disciplines de communication. Ces passerelles de communication entre les diverses entités vont permettre aux équipes de mieux se connaître et par conséquent de mieux performer. Elles pourront échanger des idées, des informations, des techniques, et établir de meilleures stratégies au bénéfice de leurs clients. Elles pourront ainsi leur offrir des solutions globales intégrées et variées. Cela ouvre de nouvelles possibilités d'affaires, jusque-là insoupçonnées, qui n'auraient pu exister sans une telle fusion tactique.

La force d'une telle fusion sera toujours la fusion des personnes. Pour durer, dans un siècle de mondialisation, il faudra de plus en plus se mesurer aux meilleurs, à l'échelle de la planète. La fusion donne au marketing intelligent ses lettres de noblesse et le renforce. La stratégie derrière la fusion le renforce encore plus !

Les alliances qui ouvrent des portes

Stratégiquement et financièrement, beaucoup d'entreprises ont besoin d'un joueur important qui leur ouvre des portes dans plusieurs pays.

Nous avons parlé précédemment de la marque d'eau embouteillée Naya, qui a pu faire un formidable bond en avant lorsque la multinationale Coca-Cola s'est mise à la distribuer au début des années 1990. Le partenariat entre Coca-Cola et Naya, qui prit fin en mai 1999, avait permis à cette dernière de distribuer 65 % de sa production aux États-Unis, lui assurant un réseau de ventes comparable à celui de Coca-Cola.

Ceci nous amène à conclure, hors de tout doute, que les alliances renforcent le marketing intelligent.

Appliquer la logique des choses

Le rapprochement de deux sociétés est le plus souvent dans la logique des choses. La plupart des entrepreneurs et des dirigeants d'entreprise ne s'en rendent pas compte. La possibilité est le plus souvent là, mais ils ne la voient pas. Et pourtant, les clients sont ceux qui pourraient profiter pleinement de ce partenariat. Les retombées pour les entreprises jumelées sont immédiates.

Implanter ce qui est logique, c'est encore une autre façon de renforcer le marketing intelligent.

L'instinct

Le marketing intelligent tient compte des risques qu'entraîne l'interdépendance dans tout partenariat. Il est pleinement conscient du fait qu'*alliance* rime avec *dépendance*. Il sait que les alliances augmentent les facteurs qui influencent l'entreprise. L'alliance présente certes des avantages, mais elle expose aussi la santé financière de l'entreprise à certains risques de dépendance. Le plus grand défi consistera donc à contrôler de tels risques. Le marketing intelligent cherchera un juste équilibre entre la nécessité de prendre des risques et celle de contrôler de tels risques. Pour cela, il comptera davantage sur son instinct, un talent qui ne s'apprend nulle part et qui renforce le marketing intelligent.

Le marketing après le marketing

Le marketing intelligent possède une force cérébrale redoutable. Sa plus grande force réside dans sa capacité à poursuivre le marketing sans relâche après que tous les outils, toutes les stratégies et toutes les techniques du marketing intelligent ont été déployés. Le marketing après le marketing consiste à ouvrir d'autres perspectives de dernière heure pour maximiser les profits. Rien ne renforce davantage le marketing intelligent que le marketing après le marketing.

J'ai toujours appliqué le marketing après le marketing dans tout mon marketing, dans tous les secteurs dans lesquels j'ai œuvré : associations professionnelles, conseils, éducation, formation, média, promotion, publicité, technologie, voyages promotionnels. Il m'a toujours apporté d'agréables surprises.

La technique est bien simple : vous continuez à faire du marketing après avoir vendu ce que vous avez vendu. C'est peut-être ce qu'il y a de plus fort en marketing.

Le marketing le plus intelligent

Lorsque j'étais à l'école primaire, je me souviens d'un professeur que je considérais le plus intelligent de tous ceux que j'avais connus. Il avait dit à ma mère, un jour, que chaque élève de sa classe était différent. Il lui avait expliqué qu'il ne pouvait les traiter tous de la même façon. Il lui expliqua comment il gérait sa relation avec moi. Ma mère était si heureuse ce jour-là ! Elle tenait ce professeur en très haute estime et lui était reconnaissante pour mes bons résultats. Ce professeur resta longtemps dans cette école. Tous les élèves et leurs parents disaient du bien de lui. Nul doute que ce qui faisait son succès, et celui de tous ses élèves sans exception, c'était le fait qu'il prenait la peine d'appliquer une approche personnalisée.

Qu'est-ce qui fait que certaines entreprises sont tellement connues ? Tout simplement parce qu'elles ont su établir de meilleures relations avec leurs clients que leurs concurrents. Mais comment sont-elles parvenues à le faire? Elles ont tout simplement été capables d'être plus proches de leurs clients que leurs rivaux. Cette façon de gérer leurs relations avec leurs clients a eu un impact positif sur la rentabilité de leur entreprise.

La question de la satisfaction de la clientèle fait souvent l'objet de sondages que beaucoup d'entreprises effectuent auprès de leurs clients, afin de mesurer leur degré de satisfaction et d'évaluer de quelle façon elles peuvent l'améliorer. Les résultats de ces sondages visent à gagner le combat contre les concurrents par une meilleure relation avec les clients. Ils font ressortir habituellement la nécessité d'orienter le marketing sur trois approches fondamentales:

1.   L'approche personnalisée

La première approche est celle que l'on dit personnalisée. Elle est l'élément central d'une stratégie qui mise sur le fait de fournir une valeur supérieure au client. Cela est réalisé par le biais d'éléments aussi exceptionnels que le service hors pair, mais surtout par le fait de satisfaire les besoins individuels du client. Il faut voir les clients comme des individus.

Il ne s'agit pas d'une stratégie simple, car il faut bien comprendre ses clients pour parvenir à une segmentation du produit ou du service. Cela exige de passer d'un produit ou d'un service adressé à tous les clients, à un produit ou service taillé sur mesure, qui n'existe pas sur le marché.

2.   L'approche information

La deuxième approche consiste à mieux organiser les données internes. L'information sur le client est primordiale. Plus important encore, c'est le fait qu'elle doit être constamment mise à jour et qu'elle doit refléter la réalité. Cela nécessite un bon système qui permet d'avoir accès à l'historique complet du client qui appelle, de savoir comment des milliers de clients se comportent ou d'accumuler beaucoup d'informations à propos d'un client. Une telle approche vise à réduire les coûts de service, à aider le personnel de ventes à mieux cibler les activités de marketing et à conclure la vente plus vite. L'information est également utilisée pour se comparer constamment avec les concurrents.

3. *L'approche fidélisation*

La troisième approche est celle des programmes de fidélité basés sur les points de récompense. Cette approche vise à ôter un avantage à un concurrent. Ce type d'approche ne fournit pas habituellement un avantage additionnel, mais aide au moins l'entreprise à maintenir le statu quo.

Ces trois approches renforcent énormément le marketing intelligent.

Elles distinguent les bonnes entreprises des moins bonnes. La différence est énorme. En fait, ce qui met les bonnes entreprises à part, c'est leur orientation.

Les entreprises qui réussissent le mieux mettent l'accent sur la rétention des clients. Tout le monde est concerné par cela, pas seulement le groupe de marketing ou des ventes. Chacun en fait une priorité. Il est important de savoir pourquoi les clients font défaut : est-ce à cause du service ? de la qualité ? de problème de livraison ? Est-ce à cause d'attaques de la part de concurrents ? d'une expansion de la concurrence ?

Les entreprises qui soutiennent cet engagement envoient un signal clair à leurs employés et à leurs clients, à savoir que leur capacité relationnelle avec les clients est la pièce centrale de leur stratégie.

À cela s'associe une ouverture sur le plan des échanges d'informations. Cela signifie de partager l'information concernant les clients plutôt que de se cantonner dans un mode de rétention d'information : « Je possède seul l'information et je ne la partagerai pas. »

Enfin, il existe, dans ces entreprises qui excellent, une volonté générale de traiter les divers clients différemment, plutôt que d'adopter une seule approche pour tous.

Pourquoi toutes les entreprises ne possèdent-elles pas cette orientation ? Tout simplement parce qu'il s'agit d'une valeur à long terme. Elle exige donc un travail de longue haleine. Tous les entrepreneurs ne possèdent pas le même degré de patience.

Faire tout ce qui est possible pour satisfaire les besoins du client a permis d'épargner à beaucoup d'entreprises d'énormes problèmes. C'est ce que n'ont pas fait ceux qui ont envahi Internet à ses débuts et qui y ont laissé leur chemise. Ils ne voulaient qu'une chose : réaliser des profits faramineux dans un laps de temps inégalé.

Identifier les tendances...
un autre élément typique du marketing intelligent

Le marketing intelligent cherche à être toujours plus intelligent pour durer sur le marché et renforcer sa position au fil des années. Pour y arriver, il utilise tous les moyens possibles. Identifier les tendances futures est un moyen parmi les plus importants.

Les entrepreneurs les plus intelligents sont ceux qui cherchent constamment à identifier les tendances futures relativement à leurs produits et services. Ils y apportent les améliorations nécessaires afin de devancer leurs concurrents sur le marché. Un tel exercice est perpétuel et il peut s'avérer très gratifiant. C'est ainsi que nous utilisons encore les produits et services de nos grands-parents dans des versions toujours améliorées.

Un directeur de marketing d'une ancienne grande boulangerie a identifié trois tendances chez les consommateurs, en ce qui concerne le pain : tout d'abord, une partie de ceux-ci exige du goût et des fibres alimentaires. Pour améliorer le goût de son pain et en augmenter les fibres alimentaires, cette boulangerie, qui existe depuis plus d'un quart de siècle, a remplacé la farine blanche comme premier élément de son pain par de la farine de blé entier. La farine de blé entier est une source de fibres alimentaires et elle améliore le goût des produits de céréales.

En second lieu, elle a découvert que les consommateurs souhaitent aussi intégrer le pain dans leur vie quotidienne hors de chez eux, lors d'un pique-nique ou au travail, par exemple. Elle a donc ajouté, à sa gamme actuelle de produits, certains produits en emballage individuel, plus faciles à déposer dans une boîte à lunch ou à transporter.

Enfin, elle a aussi constaté que les consommateurs veulent une variété élargie de choix et de saveurs. Ils recherchent constamment de nouvelles expériences culinaires. La boulangerie a donc lancé sur le marché de nouveaux produits tels que des gaufres fraîches.

Une telle entreprise a fini par acquérir, au fil des ans, la confiance des consommateurs parce qu'elle a su répondre à leurs attentes.

Ne pas dormir sur ses lauriers

L'exemple ci-dessus témoigne de l'importance de ne pas dormir sur ses lauriers. La recherche, qui fut l'objet d'un chapitre au début de ce livre, joue un rôle proéminent dans l'identification des tendances futures. Les entreprises qui veulent pratiquer le marketing le plus intelligent, c'est-à-dire suivre les tendances de l'avenir, n'ont d'autre choix que d'effectuer systématiquement de la recherche auprès des consommateurs. Dans l'exemple précédent, concernant la boulangerie, cela a permis à celle-ci de créer les solutions qui répondent le mieux aux besoins croissants des consommateurs de la région. La recherche constante auprès des consommateurs pour tenter de déceler les besoins futurs ne fait que renforcer le marketing intelligent.

Tout pour plaire...
un indice clair du marketing le plus intelligent!

Pour être le plus intelligent possible, il faut tout avoir... tout pour plaire! Un hôtel, par exemple, qui veut vraiment pratiquer le marketing le plus intelligent qui soit, doit être capable de plaire à tout le monde. Il doit pouvoir courtiser toutes sortes de clientèle du monde entier. Pour cela, il doit absolument posséder une salle de gymnastique, un centre d'affaires, des services de voiturier et de conciergerie et un service aux chambres, 24 heures sur 24! Dans les chambres, il s'assurera d'avoir pour ses clients un séchoir à cheveux et un fer à repasser, un peignoir, un coffret de sécurité, un minibar, une cafetière, plusieurs lignes téléphoniques et un accès à Internet à haute vitesse. C'est un ensemble de petites choses qui font que le client se sent comblé. C'est au-delà des éléments de base du marketing courant et du marketing intelligent que se situe le marketing le plus intelligent. C'est là que se situe la véritable lutte entre les concurrents, que seul un marketing qui dépasse celui de tous les concurrents vous permettra de réussir et de durer. Quoi de mieux pour renforcer encore plus le marketing intelligent!

Le service personnalisé

La notion de service varie d'une entreprise à l'autre et elle est souvent difficile à définir. La notion de service personnalisé est celle qui contribue le plus au marketing intelligent. Beaucoup d'entreprises en parlent, peu l'appliquent vraiment. Chaque client veut se sentir unique. Tout entreprise qui pratique le marketing intelligent doit en faire son cheval de bataille. C'est un moyen sûr de peaufiner son marketing au point de le rendre le plus intelligent possible. Le service chaleureux et personnalisé demeurera toujours la valeur la plus sûre pour une entreprise. Il doit toujours rester son outil publicitaire principal. On n'a pas besoin d'avoir de grands moyens pour offrir un service personnalisé. Il suffit de capitaliser sur ses forces et d'en faire profiter sa clientèle.

Gérer l'incertitude

La plus grande force du marketing intelligent réside dans sa capacité de gérer l'incertitude. Il sait pertinemment que les réponses d'aujourd'hui en matière de marketing peuvent ne pas être celles de demain. Il a conscience de la fragilité de la vie, du risque et de l'incertitude qu'elle entraîne. Il reconnaît que notre incapacité à prédire l'avenir, à tout prévoir, nous place dans une situation de vulnérabilité constante et extrême.

Les grandes entreprises du siècle passé évoluaient dans un contexte de changement normal et donc prévisible, qui leur permettait de conserver un certain contrôle sur leurs affaires. Ce n'est plus le cas aujourd'hui. Depuis les années 1990, le rythme du changement s'accélère à une vitesse vertigineuse, entraînant une économie volatile. Les entreprises sont ainsi influencées par des facteurs externes. Au cours des prochaines années, la gestion du risque fera de plus en plus partie des grandes priorités, aussi bien des petites que des grandes entreprises. Les dirigeants devront analyser sans merci tous les risques auxquels pourrait être confrontée leur entreprise et en tenir compte dans leur plan de marketing.

Plus une entreprise sera capable de gérer l'incertitude, plus elle renforcera son marketing intelligent.

Le télémarketing

Parmi tous les outils de marketing, le télémarketing est celui qui fait le plus appel à l'intelligence en marketing. C'est une des plus belles inventions de la dernière décennie du siècle passé. Il est le seul outil de marketing pour certains. Pour d'autres, il est l'outil par excellence. Pour la plupart, il représente un des outils de marketing. Nul doute qu'il représente l'élément le plus en mesure de renforcer le marketing intelligent, à condition qu'il soit bien exploité.

Comment maximiser le télémarketing pour renforcer davantage le marketing intelligent

1. Parler clairement.
2. Utiliser des phrases courtes.
3. Parler assez fort à côté du combiné, pas juste en face.
4. Votre voix doit inspirer une autorité magnétique, et une chaleur rassurante, tout en étant sincère et en inspirant la confiance.
5. Votre message doit demeurer aussi court que possible.

Scénario

Vous devez être préparés. Un bon scénario qui tient la route est indispensable. Une des conditions essentielles, en télémarketing, est d'être prêt à recevoir un bon nombre de refus, de rejets et de critiques. C'est ce qui vous attend lorsque vous vous embarquez dans le télémarketing.

Avantages

Le télémarketing possède ses avantages. Un de ses plus grands avantages, c'est que vous pouvez obtenir une réponse instantanée à votre offre. Vous pouvez gérer les objections sur-le-champ. Il vous donne la possibilité de comprendre bien des choses, d'ajuster vite votre tir.

La loi du nombre

Plus vous appelez de gens, plus vos chances augmentent. Certains seront absents, d'autres malades, d'autres en vacances ou hors du bureau pour la journée, pour la semaine ou pour l'année, occupés au téléphone ou même indisposés. Le marketing intelligent se fraie un passage parmi tous ces inconvénients. Sur 20 appels que vous réussissez à faire, vous pourriez obtenir une vente!

De longues heures de travail...

Préparez-vous à de longues heures de travail. Lorsque je m'occupais du magazine international d'affaires qui était publié au Québec et distribué dans 75 pays, je passais certaines journées presque complètement collé au téléphone à la recherche de commanditaires et d'annonceurs. La tâche est énorme, mais très gratifiante, surtout lorsque vous réussissez à obtenir des commandes instantanées au téléphone pour plusieurs milliers de dollars. Je me souviens encore, plusieurs années plus tard, d'une journée durant laquelle j'avais réussi à obtenir 5000 dollars. Je les avais obtenus en 5 minutes, mais j'avais dépensé 500 minutes avec d'autres, dont une partie m'avait fait des promesses, n'étaient pas au bureau, voulaient réfléchir, n'avaient pas de budget cette année-là, mais peut-être l'an prochain, n'étaient pas intéressés... C'est cela, le télémarketing!

L'identification des profils des clients

Ce qui renforce aussi le marketing intelligent, c'est le fait d'être en mesure de classer chaque client dans le profil approprié. En le faisant, on réussit à mieux gérer notre marketing par rapport au type de personnalité du client.

1.   Le dépensier: optimiste, sûr de lui.

2.   Le discipliné: prudent et expérimenté.

3.   Le prévoyant: économe et travailleur, il déteste le risque.

4.   L'impulsif: extravagant, il vit au jour le jour.

Pour renforcer le marketing intelligent face à ces profils variés, il y a lieu de proposer des offres adaptées au profil approprié, à chaque type de personnalité. Celles-ci ne doivent surtout pas être complexes afin que chacun puisse les comprendre et agir vite. La simplicité permet de gagner la confiance des consommateurs.

D'autre part, il serait approprié de miser aussi sur les similitudes entre chaque groupe de consommateurs, pour appliquer un dénominateur commun à l'offre, mais aussi d'utiliser les différences pour appliquer une approche individuelle.

Par exemple, tous les consommateurs recherchent la sécurité et le rendement. Voilà deux éléments communs pour mieux capter l'attention du consommateur. Le marketing intelligent mise sur ce qui compte vraiment pour le client, soit la sécurité et le rendement.

Structurer votre offre de façon à ce qu'elle soit difficile à refuser

Lorsque j'avais mon institut de gestion et de langues, je prenais soin de structurer mon offre de façon à ce qu'elle soit difficile à refuser. Je ne pouvais courir le risque de perdre. Je voulais mettre toutes les chances de mon côté. Je n'avais pas d'autre choix que de renforcer au maximum mon marketing intelligent.

Les deux premières heures du cours, il s'agissait d'une introduction gratuite. Les participants pouvaient soit poursuivre le cours, soit ne pas le faire. Je ne me souviens pas d'une seule personne qui n'ait pas poursuivi le cours. Cet aspect nous avait beaucoup aidés à nous faire connaître vite. Surtout au début, il rassurait les clients qui ne connaissaient pas notre institut.

Beaucoup d'entrepreneurs se posent la même question lorsqu'ils se lancent en affaires. Comment faire connaître mon nouveau produit ou service totalement inconnu ? La réponse est simple : structurer votre offre de façon à ce qu'elle soit difficile à refuser. Vous ne ferez que renforcer votre marketing intelligent.

Les forces unies des concurrents : travailler avec les rivaux

Unir ses forces à celles des concurrents, c'est un signe de grande maturité en affaires. C'est le couronnement du marketing intelligent. Pour y arriver, il faut avoir fait ses preuves sur le marché. Pour en tirer le meilleur profit, il faut avoir déployé avec succès les moyens, outils, stratégies et techniques du marketing intelligent expliqués dans ce livre. Travailler ensemble, tout en étant en compétition, pour attirer une clientèle en provenance de divers marchés, c'est une affaire délicate, mais nécessaire, à une certaine étape de l'entreprise, surtout quand il s'agira pour elle de développer le marché international. Cela coûte cher de mener des campagnes de publicité sur les marchés internationaux. Seul, il est difficile d'y arriver, compte tenu de la concurrence, particulièrement dans certaines industries telles que l'éducation et le tourisme. Parmi les avantages d'un tel partenariat, on retrouve le fait de produire une brochure avec les partenaires de la région ou du pays, et de faire la mise en marché avec eux, ainsi qu'avec d'autres intervenants dans le domaine. Ainsi, chacun aura une force de frappe plus importante.

Les sept vérités à ne jamais oublier

1. Le marché change constamment : nouvelles familles, nouveaux styles.
2. Les gens oublient vite.
3. Vos concurrents sont là.
4. Le marketing renforce votre identité.
5. Le marketing est essentiel à votre survie et à votre croissance.
6. Le marketing vous donne des avantages sur vos concurrents qui n'en font pas.
7. Tout est marketing, de votre tenue vestimentaire à la lettre que vous expédiez.

Durant les moments difficiles

Des moments difficiles? Il y en aura sûrement. Les adeptes du marketing intelligent utilisent ces moments pour rendre leur entreprise plus solide et devenir eux-mêmes plus forts. Ces moments durs deviennent la plate-forme pour solidifier leur entreprise et grandir dans l'avenir. C'est ce que doit être notre objectif. Voici quelques idées pour devenir une entreprise extraordinaire dans les moments difficiles.

1. Gardez l'œil sur l'ensemble.

Lorsque les choses vont mal, la tentation de chacun est de se concentrer sur le problème. Toutefois, la personne extraordinaire gardera l'œil sur l'ensemble. Cela ne signifie pas qu'elle ne s'occupera pas du problème. En fait, elle doit s'en occuper. Mais ce qui fait la différence entre une personne ordinaire et une personne extraordinaire, c'est que la personne extraordinaire ne se laisse pas envahir par le problème. Elle regarde l'ensemble et continue d'avancer. Plus elle avancera et amènera d'autres à le faire, plus elle s'éloignera du problème. Il s'agit en fait de rester concentré sur votre vision même si les problèmes immédiats grugent votre attention.

2. Restez calmes.

Paniquer, c'est une réaction humaine et personne n'en est préservé. La personne extraordinaire, toutefois, prend le temps de réfléchir sur les questions. Elle peut ainsi rester calme. Elle se rappelle que tout n'est pas perdu, que le fait de rester calme lui permettra de prendre les meilleures décisions pour son entreprise et pour elle-même. La panique n'entraîne que le désastre. Le calme vous guide vers la victoire.

3. Créez des petits succès.

Les petits succès motivent et emmènent de plus grands succès. Revoyez vos objectifs.

4. *Gardez le sens de l'humour.*

Gardez cette capacité de rire de vous-même et des situations qui se présentent.

Ces quelques idées vous permettront de maintenir la bonne attitude pour faire face aux temps difficiles. Ainsi, lorsque les bons moments reviendront, vous serez plus dynamique et profiterez de votre bonne forme pour rentabiliser votre entreprise.

Leçons de vie en marketing

Avoir des secrets bien à soi, en marketing, qui découlent des leçons de vie dans ce domaine, et les appliquer en tout temps, renforce à coup sûr le marketing intelligent.

Maîtrisez l'art de développer une bonne démarche et des relations profondes avec les gens qui vous entourent. Vous pouvez transformer votre façon de travailler et les résultats s'en ressentiront positivement.

Rappelez-vous bien ceci : il n'y a rien qui puisse remplacer une bonne poignée de main. Vous ne pouvez l'effectuer ni par courriel ni par télécopieur. J'ai souvent parcouru de longues distances en avion, en train et en voiture, pour aller donner une poignée de main à quelqu'un. Les résultats ont toujours été au-delà de toutes mes attentes. Là réside un grand secret que connaissent bien tous ceux qui expérimentent la poignée de main dans leur vie professionnelle.

Voyons à présent les autres secrets, qui eux aussi, sont rarement partagés.

Les 12 secrets pour réussir un marketing intelligent... mais surtout le renforcer

1. *Trouvez un créneau et exploitez-le.*

Éloignez-vous de la tentation d'être tout pour tout le monde, et orientez vos énergies vers un segment de marché. C'est la clé du succès de presque toutes les entreprises rentables. Vous trouverez que le créneau que vous exploitez est en lui-même un marché énorme. Le fait de concentrer son attention sur un seul marché a permis à beaucoup d'entreprises de s'assurer une croissance rapide et durable. La décision de concentrer vos produits et vos services autour d'un segment précis du marché vous permettra de développer une expertise de première classe.

2. Service, service, service.

Cela va tellement de soi, n'est-ce pas ? Et pourtant, en réalité, cet aspect est rarement appliqué. Un service extraordinaire entraîne des profits.

Le suivi est un autre aspect intimement lié au service. Il est d'une grande importance. Trop souvent négligé, il conduit souvent le meilleur plan de marketing à un échec. Les évaluations sont des nécessités absolues. Elles doivent se résumer en trois questions bien simples, mais vitales : notre produit ou service a-t-il rencontré vos attentes ? Êtes-vous satisfait de la qualité de notre produit ou service ? Êtes-vous satisfait des communications durant la commande ?

3. Ne pas paraître ce que l'on n'est pas.

Même si la plupart des livres et des articles traitant de marketing prônent le fait de donner l'impression d'être plus grand que ce que vous êtes, le marketing intelligent est contre cela. Une telle approche risque de vous mettre au pied du mur. Soyez ce que vous êtes et n'ayez pas honte d'être petit : « *Small is beautiful* ».

Si vous travaillez chez vous, quel mal y a-t-il à le dire ? Si vous êtes seul à tout faire dans votre entreprise, où est le problème ? Si vous êtes une petite entreprise, pourquoi pas ? Il s'agit là d'une force plus que d'une faiblesse.

4. Bâtir un système de références.

Le marketing intelligent bâtit un système de références hors pair. Toute entreprise qui ne veut pas qu'un client potentiel appelle ses clients ne doit pas être en affaires.

5. Écoutez le marché.

Persistez dans votre créneau, mais soyez à l'écoute du marché. Il peut vous amener de nouvelles possibilités fort intéressantes. Beaucoup de gens abandonnent vite à la grande joie des téméraires qui auront un concurrent en moins à qui faire face, du moins pour un certain temps !

6. Montrez votre appréciation à votre équipe.

Certains employeurs se soucient peu de ce détail Et pourtant, montrer à son équipe son appréciation motive les gens qui travaillent pour vous. Rien n'est plus important dans une entreprise que son capital humain. Les hommes et les femmes qui travaillent avec vous ont droit au plus grand respect. Les apprécier à leur juste valeur, c'est une des règles élémentaires du respect.

Durant plusieurs années, j'ai dirigé des équipes allant de 10 à une centaine de personnes dans mes diverses entreprises. Chaque fois que je devais ouvrir la bouche, je me répétais ceci en moi-même : «Ils sont ton entreprise. C'est grâce à eux que tu arrives à réaliser tes rêves.»

Avant de créer ma propre affaire, j'ai été directeur financier d'une entreprise de construction. J'avais sous ma responsabilité une centaine de techniciens et d'ingénieurs. Je leur témoignais le plus grand respect. Je leur parlais avec beaucoup d'égards. Je leur exprimais mon appréciation, surtout lorsqu'ils avaient achevé un projet de grande envergure auquel nous avions travaillé ensemble, chacun dans notre domaine. Ils me rendaient bien les bons rapports que je tenais à avoir avec eux.

En fait, j'agissais à leur égard de la même façon que je souhaitais que le président de l'entreprise agisse avec moi. Ce dernier était un vrai gentleman. J'ai appris tôt le pouvoir du respect à l'égard d'autrui. J'ai également appris l'importance d'apprécier les autres, d'être authentique, mais surtout de rester humble. Je pense que tout entrepreneur devrait d'abord être employé. Cela lui permettrait de comprendre à quel point il est nécessaire de prendre autant soin de ses employés que des actionnaires, clients ou fournisseurs. Tous les quatre sont d'importance égale. Toute décision implique souvent les quatre et c'est au quatre qu'il faut penser en la prenant.

7.   Sachez tirer profit des plaisirs de la vie.

Maniez-vous bien l'art de concilier affaires et plaisirs ? Le restaurant est le lieu de prédilection pour déployer le meilleur de votre marketing intelligent. C'est le meilleur endroit pour resserrer vos liens d'affaires ou pour créer des liens avec de nouveaux partenaires. Informez-vous des goûts de votre invité en matière culinaire. Renseignez-vous sur ses préférences en matière de boissons. Pourquoi aussi ne pas lui demander quand a lieu son anniversaire pour éventuellement l'inviter ? Vous apprendrez à mieux le connaître autour de la table. Vous aurez aussi une possibilité en or de vous faire connaître davantage et de promouvoir vos produits et services loin du stress du bureau. Le restaurant est un endroit idéal pour permettre à votre relation d'affaires de s'épanouir. Aucune rencontre ni publicité ne fera ce travail. Le dîner n'enlève en rien l'efficacité requise. Bien au contraire, il l'augmente. Ne soyez pas chiche. Choisissez un vin décent. Commandez une bouteille d'eau à table. Votre conversation gagnera en clarté et vous vous sentirez allégé. Les clubs privés sont également des endroits stimulants pour les réunions d'affaires.

8.   Traitez bien chaque personne que vous rencontrez.

Faites preuve de gentillesse et d'attention et soyez compréhensif, sans aucune arrière-pensée.

9. Restez concentrés sur la valeur ajoutée et le profit suivra.

Beaucoup de personnes sont centrées sur le court terme. Ayez une vision d'ensemble!

10. Maintenez vos promesses et impliquez-vous dans vos engagements.

Faire ce que vous dites, lorsque vous dites que vous le ferez, de la façon que vous l'avez dit; c'est le meilleur moyen de commencer à approfondir les relations avec vos clients et d'accroître le niveau de votre fiabilité personnelle vis-à-vis de ceux avec qui vous travaillez et de ceux que vous servez. Nous vivons dans un monde où les gens promettent des résultats qu'ils ne livrent pas une fois qu'ils ont reçu leurs commandes. Une raison de plus pour être différent d'eux au lieu de faire comme eux.

11. Soyez fondamentalement honnêtes.

Travaillez avec intégrité.

12. Soyez généreux.

Gardez du temps pour amener les gens déjeuner et apprenez à les connaître de façon approfondie sur le plan personnel. Dites toujours *s'il vous plaît* et *merci*.

J'ai appris ces leçons au fil des ans. Elles ont transformé ma vie et mes relations avec les autres.

Voilà donc tout ce qui renforce votre marketing intelligent. Tout ce que vous y ajouterez avec votre propre intelligence le renforcera encore plus.

Ainsi, votre marketing ne sera jamais plus pareil! Il aura la noblesse, la puissance et le raffinement des plus grands.

Principe 25

Les plaintes bien gérées, la régularité, la bonne image, le sens de l'engagement, les alliances stratégiques et le marketing après le marketing sont quelques éléments parmi plusieurs qui renforcent le marketing intelligent.

LE MARKETING MULTICULTUREL ET INTERNATIONAL

Le marketing multiculturel

On ne peut parler de marketing intelligent et passer sous silence le marketing multiculturel. Malheureusement, dans nos sociétés pourtant de plus en plus multiculturelles, beaucoup d'entreprises ne tiennent toujours pas compte de l'élément culturel, perdant ainsi une bonne part du marché.

Certains s'imaginent que la tâche est trop difficile. Ils ont peur de s'embarquer dans un marketing complexe qui leur ferait perdre leur identité. Or, le marketing multiculturel tient à de petits détails.

Par exemple, un supermarché ou même un épicier de quartier qui veut se distinguer s'assurera de s'approvisionner en produits continuellement variés, aussi variés que les origines ethniques de sa clientèle. S'il veut pousser plus loin son marketing intelligent, il s'assurera que son matériel promotionnel est dans un langage adapté aux diverses cultures qui forment son bassin de clients. Ce compromis publicitaire est important pour gagner le cœur de clients issus de diverses cultures et surtout, pour les fidéliser.

Le pharmacien du coin qui veut pratiquer le marketing intelligent verra, par exemple, à créer un petit feuillet d'information sur la santé dans les différentes langues de ses clients existants et des clients potentiels. Cela peut paraître coûteux. Bien évidemment, le marketing intelligent n'encourage nullement les initiatives coûteuses. Toutefois, avec les moyens technologiques d'aujourd'hui, et étant donné qu'il s'agit seulement d'un petit feuillet concernant des informations de santé invariables, le pharmacien ne tardera pas à réaliser qu'un tel marketing vaut bien la peine d'être appliqué !

L'avocat qui veut attirer une clientèle de Chinois aura intérêt à apprendre la culture et la langue de ceux-ci s'il veut les séduire.

Un hôtel branché fera chaque mois la promotion des mets d'un pays. Par exemple : le festival du Mexique, le festival de Chine, le festival de la Tunisie, etc. Outre le fait qu'il attirera des gens issus de ces pays, il pourra aussi gagner une clientèle composée de gourmets provenant de diverses cultures et des touristes de passage en ville.

Le marketing multiculturel n'appartient pas à quelques secteurs d'activités. Il est nécessaire dans tous les domaines. Il exige une connaissance des diverses cultures du monde. Il requiert également de l'imagination. Il peut s'avérer très rentable pour l'entreprise.

Il existe une foule de façons d'utiliser le marketing multiculturel à bon escient. Le thème de ce chapitre mérite à lui seul tout un ouvrage. Dans les années à venir, le marketing multiculturel sera de plus en plus renforcé. Il sera de plus en plus nécessaire. Déjà, beaucoup d'entreprises ont emboîté le pas depuis bien longtemps. Il reste encore beaucoup à faire. Car il ne suffit pas de mettre sur les tablettes quelques produits variés pour appliquer le marketing multiculturel. Ce dernier est fait de multiples détails et stratégies qui peuvent renforcer énormément la position de l'entreprise dans son propre marché.

Jean Coutu, ce grand pharmacien du Québec, a bien compris l'importance de s'intéresser aux autres cultures. Il a eu cette idée extraordinaire de créer un message publicitaire en japonais, traduit naturellement en français. Ce message invitait les Japonais à venir développer leurs films chez lui. Ainsi, en leur adressant un message dans leur langue et à propos de quelque chose qui leur tient à cœur, Jean Coutu leur montrait qu'il s'intéressait à eux, qu'il les aimait et qu'il les comprenait. Il aurait bien pu se dire : « Ils ne représentent qu'une partie de ma clientèle. » Mais non, il a eu cette idée qui l'a distingué de beaucoup d'autres et qui lui a permis de communiquer efficacement avec les Canadiens d'origine japonaise, les Japonais immigrants et les visiteurs japonais.

La survie des entreprises dépendra de plus en plus de leur souplesse à gérer la diversité culturelle. Dans un contexte multiethnique, la réussite du marketing multiculturel dépend également de la variété de la main-d'œuvre multiculturelle. Celle-ci contribue énormément au développement de l'entreprise. Elle lui apporte des idées, mais lui attire aussi des clients. Pour que tout cela réussisse, une bonne compréhension des différences culturelles s'impose de part et d'autre.

Le marketing international

Malheureusement, à l'ère de la mondialisation, beaucoup d'entreprises négligent encore l'aspect international. Elles sous-estiment tout simplement son importance. Or, depuis bien longtemps, avant que le phénomène de mondialisation ne prenne l'ampleur qu'il a aujourd'hui, certaines entreprises avaient emboîté le pas. Elles font partie aujourd'hui des entreprises qui ont su traverser les périodes économiques les plus difficiles et qui sont parvenues à bâtir leur empire d'un continent à l'autre.

D'autre part, bon nombre d'entreprises ont aussi perdu leur chemise en s'engageant dans l'international. La tâche est certes énorme et difficile, mais l'expérience, si elle est bien préparée, vaut bien la peine d'être tentée.

Gérer la diversité culturelle dans le monde dans lequel nous vivons n'est pas une mince affaire. Championnes du marketing intelligent, les entreprises qui réussissent en ce domaine vont jusqu'à changer leur concept ou le goût de leurs produits pour séduire un nouveau marché. Et elles réussissent. C'est que le marketing intelligent est celui qui s'adapte aux marchés étrangers. Si dans certains secteurs de telles nuances sont de moindre importance, il n'en demeure pas moins que, dans d'autres, elles sont vitales. Imposer le goût à un nouveau marché ne fait pas partie d'un marketing intelligent. C'est pourtant ce que beaucoup d'entreprises s'acharnent à faire. Adapter le goût, c'est cela, le marketing intelligent ! Combiner deux goûts, celui qui a fait la réussite du vendeur dans son propre pays et celui auquel sont déjà habitués les acheteurs d'un autre pays, s'avère être la formule la plus réussie en marketing international. Pour les couleurs, c'est la même chose. Un marketing intelligent veillera à adopter certaines couleurs dans certains pays. Par exemple, en Chine, le rouge est une couleur très appréciée. Elle représente le dragon, la force. Au Mexique, et dans plusieurs pays arabes, le vert est la couleur la plus appréciée.

Une compréhension des différences culturelles s'avère indispensable. La façon dont les différentes cultures perçoivent ou utilisent divers produits ou services varie d'une culture à une autre. Prenons pour exemple le téléphone : un Américain entre dans son appartement après une semaine d'absence et met en marche son répondeur téléphonique ; un Italien appelle sa mère. Leurs besoins en télécommunications sont différents. L'Italien, par exemple, aura besoin d'un plan d'escompte pour ses appels favoris. Ces différences peuvent sembler anodines, mais elles sont profondément culturelles et il faut en tenir compte pour mettre en œuvre une stratégie de marketing dans un pays ou un autre.

Stratégies d'entrée sur le marché

Pourquoi est-il si difficile de pénétrer les marchés étrangers ?

Il est fondamental, pour réussir à pénétrer les marchés étrangers, de définir clairement votre proposition en matière de valeurs, ainsi que votre avantage concurrentiel.

Un *must* pour certains secteurs d'activités

Dans le cas de certains secteurs d'activités, tel que l'hôtellerie, l'international est une nécessité absolue. La force d'un tel type d'entreprise sera d'appartenir à une chaîne d'hôtels. Cela lui permet de se servir de la marque reconnue à l'échelle internationale. Elle utilise ce levier sur les divers marchés, particulièrement là où la chaîne d'hôtels à laquelle elle est affiliée a le plus de reconnaissance et un haut taux de pénétration.

Les hôtels comptent également sur des bureaux de vente disséminés un peu partout dans leur pays et à l'étranger. Les représentants de ces bureaux vendent des congrès et des voyages d'agrément pour tous les hôtels de la chaîne. C'est cela, la force du marketing intelligent !

Pour rester en affaires, beaucoup d'entreprises n'ont pas d'autre choix que d'élargir le marché et donc, d'exporter leurs produits ou services. L'évolution d'une industrie les pousse souvent hors de leurs frontières et ce, malgré elles. Pour cela, il est vital de bien se préparer et d'appliquer en tout temps le marketing intelligent.

Des stratégies variées

Tous ceux qui ont réussi à l'international le savent : la stratégie de marketing varie d'un marché à l'autre parce que les centres d'intérêt des gens des divers pays varient. Par exemple, un hôtel qui pratique le marketing intelligent misera d'abord sur son hôtel situé sur le marché international et ensuite, il vendra les commodités de son établissement d'hébergement. Il mettra l'accent sur la sécurité, la tranquillité et la paix de son pays, alors qu'ailleurs la quiétude est troublée. Chez lui, il adoptera une approche plus ciblée et directe à l'égard de la clientèle qu'il veut attirer.

Le marketing intelligent se sert de tous ces éléments ainsi que de stratégies variées pour le marketing de l'entreprise sur les plans local, régional, national et international.

Une société, qui a créé un logiciel polyglotte très performant destiné à la gestion complète des hôtels, a pu pénétrer des marchés où la main-d'œuvre est très coûteuse. En revanche, elle n'a pas pu le faire dans les pays où celle-ci est bon marché.

Séduire une autre culture

Pour réussir dans des nouveaux marchés, la plus grande force du marketing intelligent, c'est de réussir à séduire l'autre culture. Ceci n'est pas toujours facile, mais présente un atout certain pour faire des affaires hors frontières.

Pour séduire une autre culture et appliquer le marketing intelligent, j'ai appris le Coran et j'ai revêtu la tenue vestimentaire des gens du pays musulman en question. Le résultat ne s'est pas fait attendre.

Principe 26

Le marketing multiculturel est nécessaire dans tous les domaines et il peut renforcer énormément la position de l'entreprise dans son propre marché.

LA TECHNOLOGIE
ET LE MARKETING INTELLIGENT

Quelle est la place de la technologie dans le marketing intelligent?

Dans un monde où la technologie prend de plus en plus de place, les personnes qui pratiquent le marketing intelligent s'arrêtent, réfléchissent et s'interrogent. Elles savent fort bien qu'elles n'ont pas leur place dans un monde technologique si elles en ignorent les outils. Elles savent aussi pertinemment que la dimension humaine est au cœur du marketing intelligent. Les partisans de ce type de marketing évitent de s'abandonner à la furie du jeu technologique. Elles donnent à la technologie la place qu'elle mérite dans leur vie professionnelle.

Le marketing intelligent par Internet

C'est maintenant bien acquis, Internet fait partie de nos affaires. Il est un des meilleurs outils de travail du marketing intelligent. Il permet une rapidité exceptionnelle, mais surtout une économie d'argent substantielle.

C'est le temps de mettre en place une stratégie de marketing intelligent par Internet, et d'exploiter les outils qui permettront de développer des affaires à partir de ce moyen technologique extraordinaire.

Une telle stratégie doit être centrée sur la communication. Les gens sont inondés de messages par courriel. La plupart effacent tout message qu'ils ne reconnaissent pas. C'est pourquoi il est d'abord important que le titre de votre courriel soit d'un tel attrait qu'on ait le goût de poursuivre notre lecture. Ce n'est pas facile. Le titre doit être court. Il doit être fort. Il doit être simple. Il doit être honnête, c'est-à-dire représentatif de ce que vous avez à dire, et non pas trompeur. Le texte doit suivre les mêmes règles. N'abusez pas du temps des autres. Assurez-vous d'envoyer un tel courriel uniquement à ceux qui pourraient, au meilleur de vos connaissances, être intéressés par ce que vous offrez ou qui seraient susceptibles d'en parler autour d'eux. Le courriel n'est pas une excuse pour ne pas être courtois. Les lecteurs doivent avoir la possibilité de demander le retrait de leur adresse de courriel de vos listes, de façon simple, et non pas de façon compliquée. Et surtout, prenez la peine de vous conformer à leur demande. Rien n'est plus irritant pour quelqu'un qui ne souhaite plus recevoir vos informations et qui vous l'a exprimé, que de continuer à en recevoir malgré cela. Espacez vos envois. Un bon marketing, c'est aussi de vous faire un peu oublier avant de revenir à la charge. Et pour résumer le tout à ce sujet, souvenez-vous toujours que rien n'est pire qu'un imposteur.

Depuis plusieurs années, les trois quarts de mes revenus proviennent du courriel. Je me conforme aux règles ci-dessus. Je reçois des félicitations pour la qualité de mes messages. Les gens ont ces mots à la bouche : « C'est professionnel ». En fait, c'est cela que vous devez viser dans toute vos communications par courriel : le professionnalisme. C'est ce que je continue d'améliorer chaque jour.

Branché : un peu... beaucoup... passionnément ?

Le mouvement Internet est irréversible, que ce soit pour communiquer, pour nous informer, pour acheter ou pour vendre. Il est devenu un élément incontournable dans les affaires et ne fera que se développer au fil du temps. Comment concevoir encore notre vie sans ce mode de communication puissant, qui nous offre des possibilités d'affaires rapides, qu'aucun de nous ne veut laisser passer.

La question qui demeure au cœur des préoccupations du marketing intelligent demeure le dosage.

L'utilisation d'Internet est surtout partagée entre l'envoi de courriels et la visite de sites Internet.

Si cette dernière est toujours utile pour s'informer, il est nécessaire de réglementer son utilisation. Car Internet est sans limites. On peut passer des heures et des heures d'une information à une autre, d'un site à un autre. Nous perdons ainsi l'essentiel. C'est un peu comme aller à l'aventure, à travers le monde, parcourir des autoroutes, d'un pays à l'autre. Imaginez le temps que cela gruge! Si vous êtes en vacances, c'est bien. Mais si vous avez des échéances à respecter dans votre travail, ne serait-il pas plus sage d'élaborer des priorités? Le marketing intelligent pense que la communication directe, par téléphone ou par visite, demeure un complément vital pour obtenir des informations clés. Alors, le marketing intelligent dit oui à Internet, dans la mesure où il ne devient pas l'élément exclusif et monopolisateur de la recherche d'information.

Cette attitude est aussi nécessaire dans les relations avec les clients. Dans un marketing intelligent, un site Internet ne doit jamais devenir l'outil de communication principal entre le client et l'entreprise, mais un moyen relationnel parmi tant d'autres.

Quant au courriel, la même philosophie devrait s'appliquer. Beaucoup de gens ne savent plus téléphoner ni se déranger pour aller voir quelqu'un. Ils pensent qu'un courriel suffit. Le marketing intelligent pense que ce serait causer le plus grand tort au marketing que de ne pas privilégier les relations humaines. Si le courriel est soutenu par les autres moyens traditionnels de communication, il peut s'avérer un outil extrêmement efficace. Il est donc important de l'intégrer dans une stratégie de communication diversifiée. Car ce qu'on vous dira par téléphone, on ne vous le dira pas nécessairement par courriel. Et les choses qu'on vous communiquera face à face, vous ne les apprendrez probablement pas autrement.

Vendre en ligne

Si vous avez quelque chose à vendre et que vous avez un site Internet, vous vendez donc en ligne. Bien des entrepreneurs, mal informés, rejettent Internet ou tout simplement, ne s'en occupent pas, parce qu'ils n'essayent pas de vendre leur produit ou service en ligne. Pour vendre de cette façon, il n'est pas nécessaire de chercher à conclure des ventes ainsi. Tout ce que vous pouvez vendre peut se vendre par Internet. Il n'est pas non plus nécessaire d'avoir un site Internet pour vendre en utilisant cette technologie. Vous pouvez utiliser votre courriel pour présenter vos produits ou services et inviter les personnes intéressées à remplir un formulaire de commande. Elles peuvent vous le faire parvenir par télécopie.

Afin d'arriver à exploiter ces ressources, il faut avoir une stratégie intelligente et des objectifs très précis. Établir une stratégie de marketing par Internet, jumelée à une bonne connaissance du marketing intelligent, vous permettra d'exploiter au mieux les ressources technologiques de notre siècle.

Beaucoup de gens négligent certaines règles de base qui sont l'essence même d'un marketing Internet intelligent. Ils perdent ainsi un grand nombre de possibilités d'affaires sans s'en rendre compte. Voici quelques recommandations fort utiles à toute entreprise qui veut profiter au maximum d'Internet.

Tout d'abord, il ne faut pas négliger le téléphone, même dans Internet. Il faut vous assurer que votre numéro de téléphone est bien en vue et facile à repérer.

Ce qu'il faut absolument éviter

Regardons autour de nous et apprenons à éviter les erreurs des autres au lieu de les répéter. Il est clair que, sur ce plan-là, les banques représentent le meilleur exemple de la surabondance de l'utilisation des outils technologiques. Cela va de mal en pis. Plus elles ajoutent de technologie, moins elles offrent de services. Les banques qui sont humaines se font de plus en plus rares. Et pourtant, c'est ce que recherchent la majorité des consommateurs. C'est ce que prône le marketing intelligent : une entreprise humaine, sans pour autant rejeter du revers de la main la technologie. Cette dernière nous offre chaque jour des moyens qui facilitent notre vie de plusieurs façons.

Site Internet : les erreurs les plus flagrantes

Il est surprenant de constater à quel point certaines entreprises chevronnées commettent des erreurs sur leur site Internet. Cela va de la surcharge des images qui alourdissent le téléchargement de leur site aux erreurs linguistiques les plus flagrantes.

Beaucoup d'entreprises utilisent des couleurs sombres, ce qui fait en sorte que leur site est presque totalement illisible.

Le manque de clarté et de simplicité dans le contenu demeure une autre erreur fondamentale. Certains sites Internet sont pratiquement impossibles à comprendre.

Un site Internet doit être avant tout simple et rapide. Il faut pouvoir trouver l'information, et surtout les coordonnées de l'entreprise, rapidement. Sur plusieurs sites, on ne trouve malheureusement pas l'adresse de l'entreprise.

La technologie aura toujours ses limites

La technologie ne peut pas tout régler. Par contre, elle crée des conditions propices à la réussite. Le marketing intelligent valorise l'humain par-dessus tout. Il forme ses employés afin que la technologie soit bien utilisée. À quoi est-ce que ça sert d'investir des milliers ou des millions de dollars dans l'implantation de nouvelles technologies, si on ne consulte pas d'abord ses employés concernant l'utilité de celles-ci, pour eux et pour les clients ?

Évaluer chaque outil à sa juste valeur

Le marketing intelligent étudiera chaque pièce du puzzle technologique et l'évaluera à sa juste valeur, pour décider s'il l'utilise ou pas. Il veillera ensuite à la façon dont il utilisera tel ou tel autre outil, mais surtout comment il l'intégrera à une approche humaine. Il s'agit d'un travail minutieux, mais d'une grande utilité, parce qu'il donnera à l'entreprise une place de choix dans un monde moderne.

Principe 27

Il est important de reconnaître la place de la technologie dans notre société moderne, de savoir en utiliser les outils et, surtout, de conserver une approche humaine.

LE PLAN D'ACTION

Essayez de chercher autour de vous. Combien d'entreprises ont un plan d'action? Je parle bien d'un plan d'action, et non pas d'un plan d'affaires, d'un plan de marketing ou d'un plan de restructuration. Un plan d'action se trouve en général dans un plan d'affaires ou de marketing, allez-vous me dire. Pourtant, le plus souvent, ce n'est pas le cas.

Le plan d'action, c'est l'outil le plus important et le plus efficace du marketing intelligent. Il s'agit d'un document complètement à part qui définit clairement les actions à accomplir, du 1er janvier au 31 décembre. Il ne doit pas dépasser une page, mais cette page peut nécessiter des dizaines d'heures de réflexion avant d'être écrite.

Il émane de la stratégie fixée, du plan d'affaires en place et du plan de marketing. Un plan d'action énumère de façon systématique et précise, et par ordre chronologique, toutes les fonctions principales à exécuter, une par une.

Il permet une conscientisation des objectifs et de toutes les tâches. Il est simple à consulter en tout temps, idéalement chaque semaine ou chaque mois.

Avez-vous déjà un plan d'action écrit au sein de votre entreprise? Sinon, voici un modèle que vous pourriez utiliser. Si vous en avez déjà un, confrontez-le avec ce dernier. Vous pourrez ainsi vérifier par la même occasion si vous appliquez ou non le marketing intelligent.

C'est seulement lorsque les stratégies de votre entreprise sont fixées que vous êtes prêt à élaborer un plan d'action. C'est un outil pour établir des priorités. C'est un calendrier des activités spécifiques nécessaires pour exécuter chacune de vos stratégies. On ne peut insister davantage sur son importance. Ce plan résume tout ce que vous ferez pour commercialiser votre entreprise.

Pour créer un plan d'action complet, le marketing intelligent recommande de vous assurer que vos stratégies, ainsi que votre budget, sont bien définis.

Êtes-vous prêt ?

Tout d'abord, assurez-vous d'avoir une vision de votre entreprise. Elle vous aidera à avoir des objectifs plus forts et elle renforcera votre engagement par rapport à votre plan d'action.

Alors, quelle est votre vision ?

Être le numéro un dans votre domaine d'ici cinq ans ?

Plan d'action en marketing en sept étapes pour les entreprises

Méthode de travail

1. Choisissez vos trois plus grandes priorités pour l'année prochaine et traduisez-les en actions correspondant à vos priorités.

2. Identifiez les autres objectifs que vous voulez atteindre durant cette même année. Trouvez les moyens qui vous permettront de les réaliser. Traduisez ces moyens en actions et mettez-les à la suite des trois premières priorités.

3. Révisez chaque action méticuleusement. Imaginez-vous dans l'action. Assurez-vous que votre plan est totalement réalisable.

4. Votre plan d'action vous permettra-t-il de tenir tête à des concurrents puissants?

5. Avez-vous l'argent et le temps nécessaires pour le conduire à bon escient? Inscrivez le montant requis pour chaque action.

6. Est-ce que le *timing* concernant l'exécution du plan est approprié, compte tenu des conditions actuelles du marché et de ses éventuels développements?

Modèle d'un plan d'action en marketing pour une entreprise

Voici maintenant un exemple de plan d'action en sept étapes pour une entreprise pour l'année 2006:

Entreprise ABC

Plan d'action en marketing pour l'année 2006

1. Recruter un bon vendeur pour promouvoir notre nouveau logiciel de gestion de projets pour les manufacturiers : janvier 2006. — 30 000 $ par an, plus la commission.

2. Créer un dépliant en français introduisant notre logiciel : février 2006. — 1 500 $

3. Concevoir deux pages pour notre site Internet afin d'attirer l'attention des clients sur le nouveau produit : mars 2006. — 1 000 $

   N.B. : Donner la possibilité aux visiteurs du site de visualiser une démonstration du logiciel.

4. Tester notre nouveau produit auprès de 10 manufacturiers : avril 2006. — 1 000 $

   N.B. : Sélectionner 15 manufacturiers. Les joindre et les inviter à un déjeuner de présentation à l'hôtel. Les joindre une semaine plus tard pour leur offrir d'aller installer le logiciel chez eux, à leur bureau, à titre expérimental. Leur fournir le support après l'installation et recueillir leurs commentaires.

5. Élaborer, à l'interne, un communiqué de presse annonçant le nouveau produit : avril 2006.

6.   Diffuser le communiqué de presse à tous les manufacturiers ainsi qu'aux divers médias du Québec : avril 2006.

7.   Participer à la foire commerciale orga-   5 000 $
     nisée par l'Association des manufactu-
     riers du Québec : octobre 2006.

J'aimerais terminer cet ouvrage en vous racontant cette histoire.

Au moment d'achever ce livre, mon téléphone sonna. C'était le directeur de formation d'une grande entreprise du Québec. Il me dit qu'il avait un problème à l'interne : l'équipe responsable de l'acquittement des factures avait de la difficulté à obtenir les paiements des clients. Il m'expliqua qu'ils avaient beau appliquer un marketing très efficace au sein de l'entreprise, ces clients difficiles gâchaient tous leurs efforts commerciaux. Ils leur grugeaient beaucoup de temps et leur faisaient perdre de l'argent. Après enquête, ils découvrirent que la majorité de ces clients étaient étrangers. Ce directeur se demandait donc si je pouvais l'aider, grâce à mon séminaire de formation intitulé *Gérer les différences culturelles*, à résoudre ce problème. Il me proposait de donner mon cours aux 20 employés de son entreprise et de leur fournir un accompagnement après le cours, ce qu'on appelle dans le jargon du domaine des conseils, le *coaching*.

Voici maintenant la morale de cette histoire.

Vous pouvez pratiquer le marketing le plus intelligent qui soit, ce genre de situation risque malheureusement de mettre en péril tous vos efforts en marketing. Le cas des mauvais payeurs n'a pas été évoqué dans cet ouvrage parce qu'il s'agit d'un sujet à part, assez complexe. Durant toutes mes années en affaires, j'ai pris grand soin de ne jamais me mettre dans une situation dans laquelle je dois *courir après mon argent*. Malgré mes précautions, j'ai dû gérer à quelques reprises ce genre de situation, mais je suis parvenu à recevoir les montants qui m'étaient dus. Je dois l'avouer, cela n'a pas été une partie de plaisirs. Certaines entreprises fermeraient boutique si elles ne faisaient pas crédit. Aussi surprenant que cela puisse paraître, l'importance de régler ses factures est en quelque sorte liée à des interprétations culturelles. C'est pourquoi il est important de comprendre le rapport des diverses cultures face à l'argent et aux échéances pour savoir comment gérer ce genre de situation avec les clients des diverses cultures. Ce directeur de formation n'avait donc pas tout à fait tort de me téléphoner à ce sujet. Peut-être devriez-vous songer à ajouter dans votre plan d'action un huitième point : assister à un séminaire de formation sur les clients difficiles et à un autre sur les différences culturelles.

Le marketing intelligent doit donc presque tout prévoir.

N'est-ce pas que la source de l'intelligence demeure l'innovation ! À partir de là, toutes les avenues sont ouvertes. Le marketing intelligent n'a de limite que sa propre intelligence !

Principe 28

Le plan d'action ne doit pas être confondu avec le plan d'affaires. C'est un document à part qui définit clairement les actions à accomplir, du 1er janvier au 31 décembre. Il doit être bref, simple, et bien réfléchi.